JN123728

はじめての工学倫理

Engineering Ethics

第4版

齊藤了文
Saito Norifumi
坂下浩司
Sakashita Koji
編

昭和堂

目　次

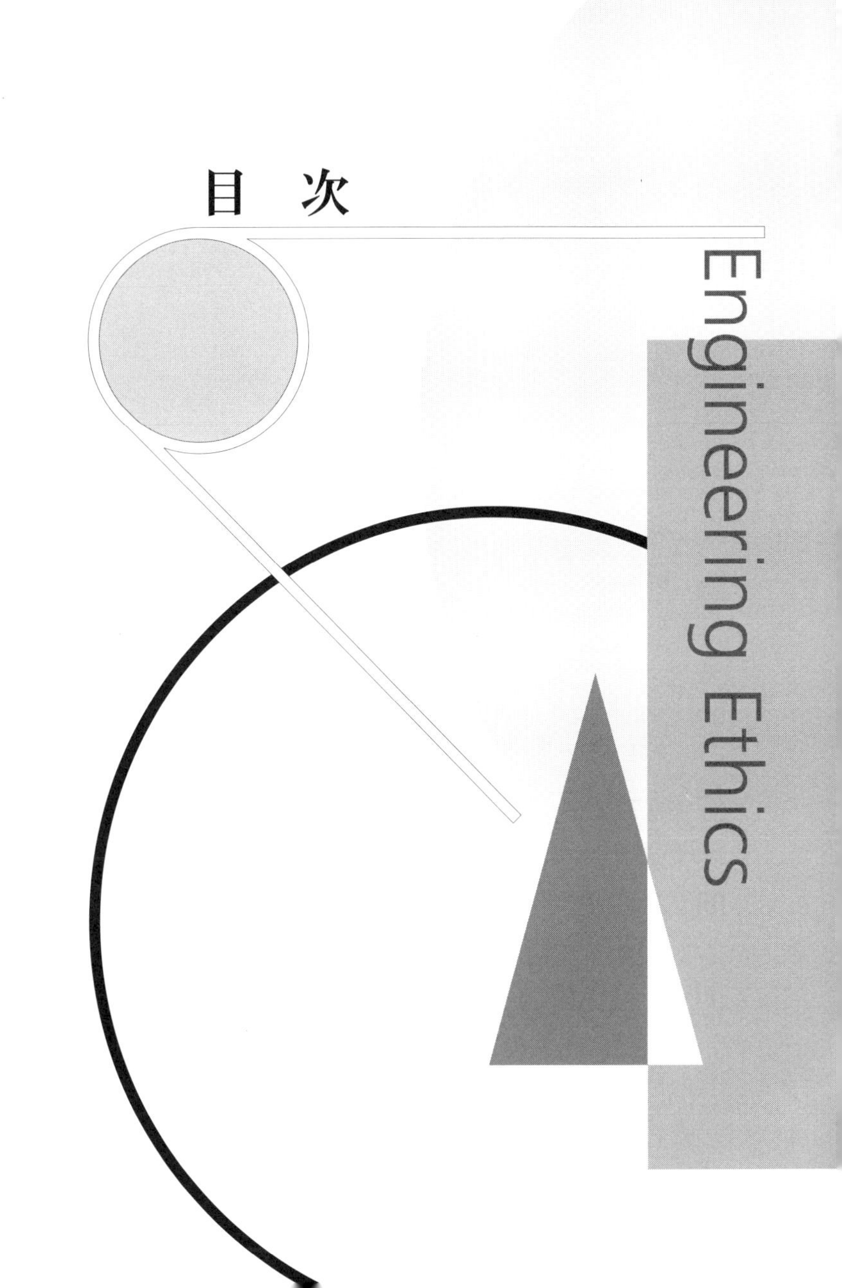

目 次

総　論

エンジニア、工学者になろうとする人にとって、倫理のようなお説教はできれば避けたいかもしれない。しかし、倫理というのは実は人間関係の枠組みのようなものである。だから、それを知ることによって、世間に出たときに、人間関係の失敗や思わぬトラブルを避けることのできるものである（もちろん、道徳のルールを覚えておくだけでは納得のいかないことも多いかもしれない。そのために、世間を知った大人から世間のしきたりを教えてもらうことになるだろう。しかし、そのルールをより深く考えていくためには、哲学や倫理学の訓練も必要となる）。

工学者、エンジニアは、ものづくりを行うことを通じて、他人に危害を与える可能性のある仕事をすることになる。だから、安全性やリスクといったキーワードが重要になる。もちろん、普通一般の人も他人に危害を与えることがあり、「人を殺してはいけない」とか「盗んではいけない」ということが、倫理的、法的なルールとなっている。しかし、それに加えて、エンジニアには特別の倫理的責任がつきまとうのである。

工学の知識の特徴（複雑性）

第一に、作られたものが客観的な具体的なものとして、設計者の手を離れても存在し、作用し続けることがあげられる。このことによって、直接に対面している人を殺すといったわかりやすい倫理的状況以外に、自分が作った物を見ず知らずの他人が、思いもかけない仕方で「誤用」することも考慮しなければ、安全なものを作ったとは認められないのである。

工学は複雑なシステムに対処しようとしている。その点の理解が重要である（齊藤了文『〈ものづくり〉と複雑系』講談社選書メチエ）。

工学者は、設計を行い、モデルや実物でその実験をしている。しかし、その各段階で多数の要因が複雑に組み合わさっているのに気づく。そのために、ものづくりのための問題解決は難しいのである。

例えば、設計とは基本的に要素を組み合わせることである。要素の性質がわかり、基本ルールがわかっても、作り上げるもののバラエティは本当に多い。加工法、寸法、分解、保守、運搬、コスト、期限、安全性、信頼性といった多数の制約を考慮しつつ設計が行われる。このうちの一つだけを取り上げると、それを充たす解は見つけやすいだろう。しかし、それらの制約を全て充たした解を見つけることが工学の設計なのである。たとえば、チェスや将棋は、一つ一つの手は単純で決まっているが、勝つまでの手を読みきることは、どんなに速いコンピュータでもできない。このように、科学の基本法則がわかっていても、そこから有用なものを作ることは単純なことではない。

この意味で、原理を求め要素を求めていこうとする科学的分析、理学の立場とは違った仕方で、オリジナルな知性の発揮が工学者には求められる。

広い意味で設計を考えると、法律や倫理までもその制約の一部となってくるのである。理学の立場では、専門に突き進むことがオリジナリティの発揮ということになる。それに対して、工学においては具体的なものを作らねばならないために、どろくさい様々な詳細にも関わらざるをえなくなる。

ある意味で、理学者はすっきりした理論を作ろうとし、それに価値を置く面がある。そして、ノーベル賞をもらうのはたいていこの意味での理学者である。それに対して、工学者は、彼らの基礎の上で動いている応用家、実際家にすぎないと見なされがちである。しかし、実際は工学者は現実の複雑な系に何とか対処しようとしているのである。この意味で独自の知的行動を行っている。

本来エンジニアには、現実に対処するために多様な側面を総合するという大きな課題が課せられている。そこには、人間に対する配慮（倫理）も含まれている。このようなタイプの知的職業であるからこそ、エンジニアはプロとしての意識とプライドをもって、自分の仕事に突き進んで欲しい。

ものづくりの過程での特徴（組織の中の存在）

また、工学者は、数学や物理や化学などの専門知識をもった専門家だと見なされるかもしれないが、その場合でも弁護士や医者のような専門家とは違った立場にいるのである。そのために、倫理的な行動の仕方も単純なものではなくなるのである。

つまり、エンジニアは企業に勤める人が大半である。その場合、組織に対して忠誠をつくし、依頼者の望みをかなえることが､専門家として第一に要求されることになる。しかしながら、そのような組織や依頼者の要求が、公衆の要求と一致していないことがあるかもしれない。つまり、企業の都合や依頼者の都合によって、安全性を無視した機械が作られるかもしれない。このような場合にエンジニアは、どのように判断すればよいかという問題が、重要になる。このときでも、医者や弁護士は依頼者の要望に従った行動をすることが倫理的に望ましいかもしれないが、エンジニアにとって、依頼者以外の公衆も顧慮した行動をとることが要請される。

機械は具体的な「物」であって、設計した人の手を離れても使われるために、使う可能性のある人々を顧慮した行動をとることがエンジニアには要求されるのである。しかし、公衆を顧慮することは重要ではあっても、一方で組織の中でのチームワークがなければ、よいものづくりはできない。そのような仲間を無視すると、企業に雇用されているエンジニアは組織からは浮いた存在になってしまう（これに対して、医者や弁護士といった専門家は一匹狼になれるのである）。

工学者、エンジニアには、（ひとことで人間関係とはいっても）設計された機械を通じて、また一人では設計できず組織の中で働かねばならないという制約を通じて、多様な人間関係が問題になる。

じつは、このように多様でお互いに背反した制約の中でどのように生きていくことが倫理的に正しいかを考えることは、工学者が設計をするときに考えねばならない問題解決の方法と類似している。依頼者との契約を守ることも大事であり、安全な機械を作ることも大事である。ここでどのような行動をすべきだろうか。例えば、自動車において燃費を高めるために重量を減らすと衝突安全性が損なわれ、それを解決するために軽金属を使うとコストがかさむ、このような状況と類似している。個別的な部分でやるべきことがわかっていることと、それらが組み合わさった現実の状況で何を行うべきかということは違っている。そのようなコンフリクトをどのように調和させていくかということが、エンジニアの腕の見せ所である。そして、その腕を人間関係の問題にも適用することで、倫理的な問題が解決されるのである。もちろん、「設計10年」と言われるように総合する技能の獲得は難しいのではあるが。

ともかく、エンジニアという職業は思わぬ仕方で、社会との結びつきをもっているので、自分の職業にプロとしての誇りと自覚をもって励んでいただきたい。

本書の構造

この本では、人工物のライフサイクルにも注目して事例を配列し、工学的判断力を身につけた人が倫理的判断力を身につけられるように叙述してある。単純に見える事例にも、具体的に考えると、多様な根拠があるということを、ゆっくり考えながら読んで欲しい。

第4版では、「倫理規定の練習問題」という項を更新し、事例の選択をアップデートした。問題①については、本書222頁に解答を掲載している。問題②は解答を掲載していないので、授業の中で話し合ってもらいたい。

もちろん、具体的な事例は割り切って分析できるものではなく、さらに分析を進めると、そこには多くの問題がからみあっている。本書では教科書として利用されることを考えて、それぞれの事例ごとに倫理に関する少数の問題点のみを中心に論じた。その一面性を指摘したり、それを深めたりすることは教師と学生にまかされている。

その意味で、本書の後半にある「工学倫理の基礎知識」は、ある程度使えるように整備してある。少々の疑問点はそこで解決できるだろう。もちろん、本書全体の分量が限られているために、すべてを論じることはとてもできない。だから、さらに複雑な問題に関心のある人のために、手に入れやすい参考文献などをあげてある。それぞれの事例や背景となる規程や法律を詳しく知りたい場合に参考にしていただきたい「工学倫理の資料と文献」の改訂も行った。

本書は、半期の授業で選択して使えるように、事例を17テーマ34項目配列している。学生に、設計や製造の現場や組織の仕組みに関連する事故のビデオなどを見せたりすると、少し多いかもしれないが、その場合には不必要な事例は飛ばすとか、宿題にして自分で調べてもらうような授業をすることも可能である。

事例分析

I

Engineering Ethics

01-1 チャレンジャー号事件①

組織とエンジニア

技術者固有の判断を歪めることは、公衆の安全性をおびやかすばかりか、会社の利益さえ傷つけることもあるということ。

1986年1月28日、25回目のスペースシャトルの打ち上げを見守る多くの人々の目の前でこの大惨事は起こった。事故後の調査によると直接の原因はOリングという部品の性能の問題だった。Oリングはロケットブースターの連結部をシールするための部品だ。このブースターは約149フィートもの長さがあるので4つの部分に分けて製造される。その繋ぎ目から高温のガスが漏れるおそれがあるのだ。

打ち上げ時はかつてない低気温だった。リングの弾性が低下した。そのためブースターから高温ガスが漏れ、2つのタンクの燃料に次々に引火した。シャトルは爆発した。打ち上げ73秒後のことだった。

多くの観衆にとって、この惨事は思いもよらない事故だった。しかし、一部の関係者にとっては決して予想外の事故ではなかったのである。

ブースターの設計にあたったサイオコール社の技術者たちはOリングの問題にすでに数年前に気づいていた。過去の打ち上げデータから気温の低さと漏れるガスの量との相関関係を見出しており、会社に働きかけて設計改善努力も始めていた。作業はまだ途上であったが、その間に予定されていた打ち上げは幸い比較的暖かい時期に行われたため問題はなかった。

しかし今回の打ち上げ時はこれまでにない低気温になると予報が出ていた。そこで打ち上げ前夜の会議に臨み、彼らは打ち上げ延期勧告という判断を説明した。同社の経営陣もはじめ技術者の意見に同意を示していた。しかしNASAの上層部はとんでもないことだという反応を示した。その反応を見て、サイオコール社はNASAとの会議を中断し、社内での相談ののち、打ち上げ延期勧告を撤回したのである。

Harris et al., Engineering Ethics, Concepts and Cases, Wadsworth, 2000, p.96.

★事例の出典：http://www.onlineethics.org/Topics/ProfPractice/Exemplars/BehavingWell/RB-intro.aspx

公衆の安全と組織への忠誠。技術者が責めを負う判断。

サイオコール社の最終判断は4人の経営者の相談において全員一致で決した。そこには1人の技術者が参加していた。彼は技術者でありかつ経営者でもある立場で延期勧告の撤回に同意した。彼の判断を工学倫理の観点から考えてみよう◆1。

彼の判断は技術者としては間違っていたことは明らかだと思われる。しかし経営者としての判断は、簡単に間違っていたということはできない。爆発するとわかっていたら、打ち上げ賛成に経営上の利益のないことは明らかだ。しかし例えば、予想通りの低温による大量のガス漏れにもかかわらず、かろうじて打ち上げに支障をきたすことはなかったという場合。その際には延期勧告による損益を回避する判断をしえたことにもなるのである。

しかし経営上の判断は技術上の判断を無視して成り立つものではない。損益の期待値を計算するには、想定される結果の確率を知らなければならない☜。それを示すことができるのは技術者だ。

公衆の安全☜をおびやかす危険があると

◆1
「彼」とは技術担当副社長ロバート・ルンドのことである。チャレンジャー号事件は、良心的技術者ロジャー・ボイジョリーを中心に記述されるのが普通であるが、ここではあえて、倫理的に問題のあるロバート・ルンドに焦点を当てる。ボイジョリーの立場にたっての考察はC・ウィットベック『技術倫理1』みすず書房（2000）167-194頁を参照。特に事例14-1のルメジャー同様倫理的エンジニアとして行動したボイジョリーが、ルメジャーとは正反対の結末を迎えなければならなかったことを踏まえ、あなたがボイジョリーにならないためにあなたにできることを考えよ。

基礎知識01-a ☜
「安全とリスクの定義」

基礎知識05-b-①☜
「社会に対する責任」

いうのが技術者全員一致の判断であればそれを無視することはできない。NASAの上層部にはその認識はあったようだ。サイオコール社の勧告を無視して打ち上げを決断しようとはしなかった。またサイオコール社の経営陣としても、技術者全員一致の判断を無視したことにはならない。というのも、技術者の1人が意見をひるがえしているわけだから。もはや技術者全員一致の意見は存在しなかったのである。

技術者でもある彼が延期勧告撤回に同意したということがひとつ問題なのだ。彼は技術者としての責任を果たさなかったのだ。組織への忠誠というものもまた技術者の守るべき規範ではあるが☞、技術者にしかできない判断を歪めることがそれを果たすことにはならないということを、この事例は示しているのである。

☞ 基礎知識 04-b「組織における個人」

01-2 チャレンジャー号事件②

組織とエンジニア

自分の判断が正しいと思ったとき、技術者はどのように行動すべきなのか。

スペースシャトルは2011年に引退したので、チャレンジャー号爆発事故はもう古いと思われるかもしれない。しかしこの事故は、工学倫理において多くの教訓を残した重要な事例である。ここでは①とは別の観点からこの事故を再考しよう。

①では、技術者であり、しかも技術担当の副社長という経営者でもあった人物ランドによる判断について考察した。実は、ランドは、上司であるGMから「技術者の帽子を脱いで、経営者になる」ように言われて、意見を変えるように迫られていた。そのGMには、サイオコール社がここで打ち上げに反対すると、NASAとの今後の契約に支障があり得るという経営的判断があっただろう。そしてNASAも、予算の関係で、打ち上げを予定通りに行いたいと考えていた。さらに、打ち上げに反対していた技術者たちも、自らの行動には理由があると思っていたことだろう。ここではさまざまな判断や理由が関係し合い、中には衝突しているものもある。このように、人間関係や組織が入り組んでいる中で、もしあなたがサイオコール社の技術者であるならば、まず何を考えて行動すべきなのだろうか。

サイオコール社の技術者の幾人かは、チャレンジャー号の低温下での打ち上げは、Oリングの性能低下のために失敗することを懸念していた。実際に爆発したのだから、技術者たちの予想通りだったように思われる。しかし、すべてが予想通りだったわけではない。技術者たちは発射台付近で爆発すると考えていたのである。実際は、発射台付近ではなく、打ち上げ73秒後に、上空約1万メートルのところで爆発した。爆発という結果は同じでも、爆発のプロセスは、サイオコール社の技術者たちの予想とは異なっていた。発射台付近で爆発しなかった（その理由は、インターネットなどで調べてみよう）のでかれらがホッとしたところで爆発したのである。その意味では、技術者たちの予想は完全には的中したわけではない。

このように、技術的判断は必ずしも確定的であるわけではない。技術的判断は、本書の編者の序にあるように、理学とは異なってさまざまな要素が入るものである。加えて、組織のなかでの意志決定においては、左記のように技術以外の要因から影響を受けうる。それは、チャレンジャー号爆発事故が示すように、現実に技術者が置かれうる状況である。このような中で、技術者は何を最優先して行動すべきなのだろうか。考えてみよう。

★事例の出典：新聞報道などによる

POINT

コミュニケーションの重要性、公衆を最優先

不確実性のある中で安全性を確保するためには、関係者の間でのコミュニケーションが必要である。そこで、技術者に求められるコミュニケーションについて考えてみよう。

(1)技術者同志のコミュニケーションはもちろんのこと、(2)技術者と経営者とのコミュニケーションも必要である。さらに(3)技術者と公衆とのコミュニケーションも重要である。

これら三つの中で、(1)は比較的容易だと思われるかも知れない。技術者同士であれば、工学の専門知識を用いて議論できるからである。しかし、サイオコール社の技術者とNASAの技術者とでは、失敗の確率の算定は異なっていたようだ。技術的判断の合意には困難が伴うことがあるとはいえ、解に近づくためには、まずは技術者同士のコミュニケーションが必要になるだろう。

(2)は、組織の風土にもよる。経営者は技術のことが分かるとは限らないので、技術者が経営者に説明をするときにはそれなりの準備がいる。チャレンジャー号爆発事故におい

ても、Oリング問題について技術者がより説得的なデータを提示できていたなら、結果は違っていたかも知れない。ここでは技術者による情報収集力や説明力、そして説得力が必要になる。もちろん、技術に関わる問題については技術者の意見を聞き入れる組織づくりも大切になる。[◆1]

⑶公衆とのコミュニケーションも重要である。工学倫理の基本は、公衆の安全や健康を最優先することである。公衆とは製品の利用者であり、チャレンジャー号爆発事故においては、亡くなった宇宙飛行士たちは公衆と見なされ得る。残念ながら、かれらにはOリング問題は知らされていなかった。言い換えるとそれは、製品の利用者（公衆）に、製品を利用する上で必要な情報が提供されていなかったということである。製品に関する情報を利用者に提供することも重要になるのである。

◆1
2003年のコロンビア号空中分解事故の事故調査報告書では、NASAの「組織的問題」が取り上げられている。

02-1 フォード・ピント事件①

企業の社会的責任

企業が事業を決定する際には費用便益分析の他にも着目するべき事項がある。

1960年代末にフォード社が設計したサブコンパクトカー・ピントは、日本のコンパクトカーと対抗するために、短い開発期間で技術設計が制約され、結果的にガソリンタンクの位置が後車軸とバンパーの間になった。タンクが後部衝突で押し出されると差動装置のハウジングのボルトヘッドがタンクに穴を開ける可能性があった。実際に、ピントは後部衝突による火災事故を起こし、亡くなった人もいれば、重傷を負った人もおり、被害者たちはフォード社を訴えた。

裁判では、フォード社が行っていたピントの衝突実験で、動く障害物を後部からぶつけられたプロトタイプの燃料タンクが前方に押し出され燃料漏れを生じる穴が開いていたことが明らかにされている。

裁判では、フォード社が燃料タンクのまわりに保護シートをつける設計改善を考え、それを実行する価値があるか次の分析を実施していたことも明るみに出た。[1)]

1) この報告書は、連邦自動車安全基準の厳格化に反対するためにフォード社が米国高速道路交通安全局に提出したもので、米国のすべての自動車メーカーが製造する自動車と軽トラックを対象にしている。

11 ドルの設計改善費用をかけた場合の便益

節　約	焼死者数　180 人
	車体炎上による重症者数　180 人
	炎上車両数　2100 台
単位費用	死亡者 1 人につき　20 万ドル
	負傷者 1 人につき　6 万 7000 ドル
	炎上車両 1 台につき　700 ドル
合計便益	180 × 20 万ドル＋180×6 万 7000 ドル ＋2100×700 ドル＝4953 万ドル

11 ドルの設計改善にかかる費用

販売車数	乗用車　1100 万台
	軽トラック　150 万台
単位費用	乗用車 1 台につき　11 ドル
	軽トラック 1 台につき　11 ドル
合計費用	1100 万台× 11 ドル＋ 150 万台× 11 ドル ＝ 1 億 3750 万ドル

1100 万台の乗用車と 150 万台の軽トラックの安全性を向上させるには 1 億 3750 万ドルかかる。この金額を投じて車を改善した場合の便益、つまり、事故を防ぐことの価値は、4953 万ドルにしかならない。このような分析に基づいて、フォード社はピントを改善しなかった。裁判で、フォード社が作成した分析の報告書が公開されると、裁判所は巨額の和解金の支払いを命じた。

★事例の出典：日本技術士会訳編『第 3 版　科学技術者の倫理——その考え方と事例』丸善（2008）pp.166-167, 384-385（ただし「便益の合計額」と「設計改善費用」の合計額を修正した）

POINT 安全配慮と生産コストとのトレードオフをうまく考慮すること。

フォード社が行ったとされる分析は、費用便益分析と呼ばれる。こうした分析では、「効用の最大化」[◆1]のために、効用がドルなどの金銭に換算され、事業について便益と費用が数値化される。その上で、全ての便益の合計から費用を差し引いた時に最大になる事業が正しいとされる☞。

事業について費用便益分析だけで決定することには次の2つの問題がある。

1つ目は、全ての効用つまり価値を金銭に換算して計算することはできないという点である☞。フォード社は人の命に値段をつけたが、家族の苦痛や喪失感を考慮していない。家族は収入だけでなく、愛する人も失う。それは20万ドル程度のものではないという意見があるだろう。さらに、20万ドルという値段が低すぎるということではなく、人の命の価値は数字で表せるものではないため、人命を費用便益分析に利用するべきではないという立場がある。

2点目は、個人の権利もしくは少数派の権利が尊重されていないという点である☞。費

◆1
「費用便益分析」は、功利主義の「最大多数のための最大幸福」という原則に基づいている。ここでいう幸福が効用を意味する。

基礎知識 07-d ☞
「功利主義倫理学」

基礎知識 04-a ☞
「企業の倫理」

基礎知識 07-d ☞
「功利主義倫理学」

用便益分析は少数派がないがしろにされるために問題があると感じる人がいるだろう。多数派の望むことの方に価値があるとは限らない。こう考える人は「効用の最大化」という考えには賛成しないことになる☜。

☞ 基礎知識 07「倫理概念について知るべきこと」

ピントの事例の教訓について考えてみよう。フォード車は費用便益分析だけに基づいてピントの安全性を決定するべきではなかった☜。しかし、戦車のような丈夫な車を開発しても、安全と引き換えに、非常に高額なものとなってしまうだろう。すなわち、安全性とコストはトレードオフの関係にあるとも考えられる。市場では、一定のリスクと引き換えに適正な価格の自動車が購入されている。こういったトレードオフを適切に考慮することができるのが優れた技術者であろう。

☞ 基礎知識 03-b「製造者（技術者）が注意すべきこと」

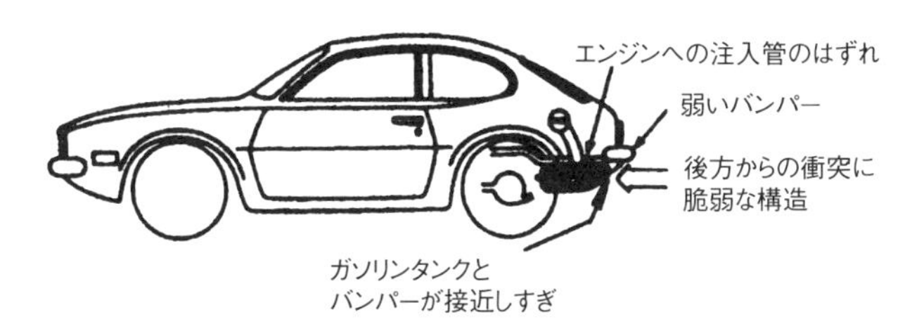

1971・72年型フォード・ピントの構造欠陥
畑村洋太郎『続々・実際の設計』日刊工業新聞社（1996）389頁

---

(1) M・サンデル（NHK「ハーバード白熱教室」制作チーム・小林正弥・杉田晶子訳）『ハーバード白熱教室講義録＋東大特別授業　上』早川書房（2011）49-64頁。

02-2 フォード・ピント事件②

企業の
社会的責任

ピントのケースを、フォード社の組織構造の中に位置づけてみよう。

事故や裁判でピントに注目が集まった後で、この事例は、⑴受けいれられないほどの安全上の問題がピントにあるとフォード社は知っていた、⑵にもかかわらず自社の利潤を追求しようとして同社はピントを製造・販売した、と社会の目に映った。⑴と⑵は合わせて「非倫理的な計算に基づく経営方針」と呼ばれている。しかし、当時のフォード社の組織の構造を調べ、それぞれの部署がピントをどう見ていたかを考えると、単に非倫理的計算によってピントが作られたとは言えなくなる余地がある。

⑴の証拠とされてきたのは、フォード社の後部衝突実験でピントが炎上していたことだ。実験は技術者陣が担当した。ピントの安全性は受けいれられないと実験結果から技術者は考えたというのが従来の見解である。しかしそうではないという見方もある。衝突実験は当時としては新たな試みで、その時点ではむしろ実験が実際の事故を再現しているかどうかが問題になっていた。すなわち、実験から得られる安全性のデータよりも、実験の信頼性や妥当性に関心が払われていたのである。実験の目的は、信頼できる実験手順を開発することだった。また、当

時の自動車業界では、ピントのような低価格の小型車について低いレベルの安全性を受け入れることが通例であった。

(2)の根拠とされてきたのはフォード社の報告書(①であげた)だ。規制対策部が報告書を作成し、米国高速道路交通安全局に提出している。当時の安全局は連邦自動車安全基準を厳しくしようとしていた。報告書は、規制の厳格化を実施するのに必要な社会的費用が厳格化によって得られる社会的受益を上回っている、と述べている。社会的費用とは、米国のすべての自動車メーカーが製造する自動車と軽トラックの設計改善費用（一台あたり11ドル）を総車両数に掛けたものだ。社会的受益は、設計が改善されることで防ぐことができると予想される事故件数に、人一人が死亡・負傷しないことによって社会が失わずにすむ費用と失われずにすむ車両一台あたりの費用を掛けたものである。すると、問題の報告書がピントの製造・販売に影響を与えたとは言えなくなる余地がある。その主な理由は、この報告書の分析対象は、ピントだけでなく米国のすべての自動車メーカーが販売する自動車と軽トラックであったことである。

★事例の出典：M. T. Lee and M. D. Ermann, "Pinto "Madness" as a Flawed Landmark Narrative: An Organization and Network Analysis", *Social Problems*, Vol. 46, No. 1, 1999, pp.30-47.

POINT

企業の社会的責任(CSR)への取り組みに技術者が専門職として貢献することが、社会が求める車の安全性を知ることにつながる。

フォード社の非倫理的計算によってピントが開発されたと言うと、経営者が規制対策部の計算結果を受けて安全でない車と知りながら技術者に製造を命じた、という一元的な意思決定の系列があったと思いがちだ。しかし、計算の対象はピントの燃料タンクではなかったし、非倫理的な計算が働いたと言うには各部門の結びつきは緩かった、と見ることもできる。経営陣・技術陣・規制対策部のそれぞれが、当時の自動車産業の内部の論理にもとづいて行動していたと言うほうが、ピントが製造・販売されていた時期の同社の様子をよく捉えていると言うこともできる。内部の論理とは、小型車の安全性は大型車に比べて低くても仕方ないと考えることや、安全基準をめぐる高速道路交通安全局との議論で費用対価計算を用いることだ。こうした論理にもとづいて、ピントの安全性はフォード社には受けいれ可能なものだった。だが、ピントの利用者にはとても受けいれることのできる安全性ではなかった。受けいれ可能な安全性についてフォード社と社会の間でギャップが生じていたのである。

社会が求める安全性とのギャップをなくすために技術者はどうするべきだろうか。企業の社会的責任（CSR: Corporate Social Responsibility）が参考になる。CSR はビジネス倫理で重視されるものだ☞。社会に対する企業の責任を果たす上では、地域とのコミュニケーションが大切になる。そのために企業は、地元の住民と意見交換を行なったり、工場見学に招いたりすることがある。企業と社会との間に安全性にかんしてギャップがあるとすれば、このアプローチはそのギャップを狭めることにつながるだろう。仮に、衝突実験の結果は自社の車の安全性が受けいれ不可能だと示しているとは技術者が考えていなかったとしても、もし意見交換会や見学会での住民とのコミュニケーションから社会が求める安全性が明らかになったらどうだろうか。ギャップに気づき、自分たちの受けいれ可能な安全性について技術者は見直すことができるだろう。こうした CSR への取り組みに専門職として技術者が役割を果たすことが、安全な車を社会に提供することにつながるだろう。

☞ 基礎知識 04「ビジネス倫理について知るべきこと」

03-1 日本航空ジャンボ機墜落事故

安全性と設計

故障やミスが起こることを予想して、最悪な事態を避けられるように、安全性を確保することが必要である。

日本航空123便（ボーイング747SR）は、1985年8月12日（午後6時12分）、羽田空港から大阪国際空港に向けて離陸した。離陸12分後、伊豆半島南部の東岸上空で、激しい衝撃音とともに垂直尾翼、油圧系統が破壊され操作不能に陥った。乗務員は事態を把握できず、車輪を出したり、エンジン・パワーを調節しながらコントロールしようとしたが、激しい揺れを繰り返しながら、秩父山系上空を迷走し、群馬県御巣鷹山付近に墜落した。524名の搭乗者（乗客509名、乗組員15名）のうち、520名（乗客505名、乗組員15名）が死亡し、4名（乗客）が重傷を負った。同機は大破し、火災が発生した。

運輸省事故調査委員会によると、事故原因は後部圧力隔壁の不適切な修理と、点検整備時の見過ごしである。事故の7年前、同機が大阪空港で起こしたしりもち事故の際に、日航は事故機の修理作業をボーイング社に委託した。事故で変形した後部圧力隔壁下半部を新しい隔壁下半部と交換したが、その際、隔壁の上半部と下半部の間の一部に2センチほどの隙間ができてしまった。継ぎ板をはさむことにしたが、継ぎ板が細すぎて、本来リベットを二列に打つべきところの一部が一列になってしまった。そのため、強度は70%程度低下し、疲労亀裂が発生しやすい状態になった。修理後、約一万回の飛行で、隔壁の接続部には、金属疲労による亀裂が広がっていた。亀裂の入った圧力隔壁は、外気と客室の圧力差に耐えきれなくなり崩壊した。客室の与圧空気が一気に吹き出し、垂直尾翼と補助動力装置を吹き飛ばした。油圧操縦システムが全て破壊され操縦不能に陥り墜落したと考えられている。

　この事故は、現在にいたるまで日本で起きた最悪の航空機事故である。このような悲惨な事故を防ぐために、技術者は何をすればいいのだろうか。また、この事故から何を学ぶべきだろうか。

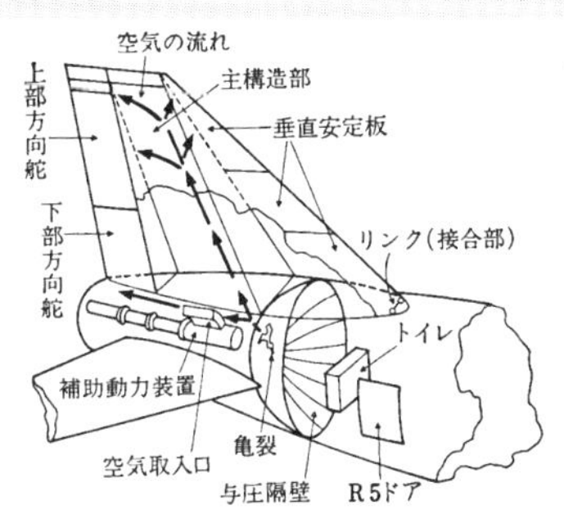

尾翼の破損と落下を招いた空気の流れ

日航ジャンボ機墜落事故
近藤次郎『巨大システムの安全性』講談社ブルーバックス、p. 56

★事例の出典：吉岡忍『墜落の夏』新潮文庫（1989)、朝日新聞社会部編『日航ジャンボ機墜落』朝日文庫（1985)

POINT

安全性を高めるために必要なこと。最悪の事態を避けるには？

飛行機は、技術者がつくる他の製品や他の乗り物と比べて、事故が起きたとき、乗員に対するダメージがきわめて大きい。そのため、安全性には特に配慮する必要がある。しかし、絶対に壊れないように頑丈に作ろうとすれば重くなってしまい飛ぶことができなくなるだろう☞。そこで、飛行機の安全を確保するためにフェイル・セーフ◆1という設計思想が重要になる。重要な部分は何重もの安全構造にしておいて、たとえ故障が起こっても大事には至らないようにするのである。故障や事故をなくす努力は必要であるが、故障や事故が起こった時の対処も重要である。むしろ、故障や事故が起こることをある程度は予期して、その際に被害を最小に食い止め、安全性を確保するという姿勢が必要となる。

この事故では、機体そのものはフェイル・セーフ☞の思想に基づいて設計されていたが、修理ミスにまではこの思想が行き届いていなかったと言えるだろう。設計段階で、安全性のきわめて高い機体であっても、修理の際にその構造が変化してしまっては、安全性は

事例分析 02-1 ☞
「フォード・ピント事件①」

◆1
【フェイル・セーフ】
(fail-safe)
一部分が故障（fail）しても、安全（safe）であること。ジェット機の開発が進み、新型になるほど、この構造は強化されてきた。たとえば、ボーイング747では操縦・油圧系統を三重四重に分散して配置し、どれかが故障しても、もう一方の油圧で操縦できるようにしているし、機体は格子状の構造になっていて外板のジュラルミンに亀裂が入っても、破損が拡大して致命的な損害にならないように設計されている。

基礎知識 01-b ☞
「安全性の向上」

保てない。技術者のつくるものは、多くの人に使われ影響を与える。設計段階だけでなく、修理や点検を通じても安全性を維持することが、技術者の果たすべき重要な役割である。

この事故の原因とされるボーイング社の修理ミス[◆2]に関しても、修理の各工程に日航の技術者が立ち会ってチェックをしていなかった。人間がミスを犯すことを前提に、そのミスをチェックすること、ミスがあっても致命的な事態を回避し安全を確保することが必要である。航空機のような巨大なシステムでは、潜在的な危険性は多種多様であり、故障やエラーをチェックし、カバーしていく防御体制が重要である。特に、修理や保守といった人間の手が直接触れる作業では、多様なエラーが起こりやすいことを技術者は認識しておく必要がある。防御が整備され事故が減少しても、十分な安全性が達成されているわけではない。むしろ、人間のエラーやミスの積み重ねが複雑化することによって、巨大化したシステムでは、大惨事を招くことを常に肝に銘じておかなければならない。

◆2
墜落の原因については、事故調査委員会の事故調査報告に対する疑問もあがっている。cf.『墜落の背景(下)』山本善明、講談社、179頁〜

(1) 齊藤了文『〈ものづくり〉と複雑系』講談社選書メチエ (1998)
(2) 柳田邦男『事故調査』新潮文庫 (1997)
(3) 柳田邦男『航空事故』中公新書 (1975)
(4) 近藤次郎『巨大システムの安全性』講談社ブルーバックス (1986)
(5) J・リーズン (塩見弘監訳)『組織事故』日科技連 (1999)

03-2 阪急伊丹駅のユニバーサルデザイン

安全性と設計

バリアフリーを超える倫理的設計思想とは？

阪神・淡路大震災で倒壊した阪急伊丹駅は、駅ビルと駅前広場とを一体として整備再建され、誰もが公平に利用でき安全で使いやすい公共交通施設となっている。歩道とバスの床面の段差をなくし子供やお年寄りも楽に乗り降りできるノンステップバスが次々と発着する駅前広場のバスターミナルから駅ビルへは、屋根付きの歩道が設けられていて傘をさす必要がない。駅ビルのエレベーターは、広場に近く分かりやすい場所に設置され、車椅子に対応する十分な大きさがある。改札には高さの異なる券売機が設置され、車椅子や大きな荷物を抱えた人が楽に通れるように幅の広い改札口が設置してある。コンコースからプラットフォームまでには階段がなく、踊り場も組み入れた緩やかなスロープが続いている。スロープには車椅子や歩行器の人を考えて高さが異なる2段の手すりが付いている。駅前広場には触知図のついた音声ガイドが設置され、サイン（案内標識）が分かりやすく統一されている。

2000年に「高齢者、身体障害者等の公共交通機関を利用した移動の円滑化の促進に関する法律（交通バリアフリー法）」が制定され、駅や旅客施設などについて、エレベーター、エスカレーター等の設置、低床バスの導入などを行うよう定めている。[1] しかし、法律の基準をクリアーすることと、すべての利用者が平等に使いやすい安全なものをつくることには隔たりがある。車椅子でバスターミナルから駅ビルに入り列車に乗るまでを、駅員や介助者の助けを借りずに完全に自力でできる伊丹駅のような駅は日本にどれくらいあるだろうか。エレベーターが分かりづらい場所に設置してあったり、駅員の補助がなければ利用できない障害者用の特別なリフトが設置されていたり、階段の横に車椅子のシンボルマークを描いた特別なスロープをつくることで、バリア（障壁）は解消されるだろうか。たとえあなたが車椅子の利用者ではないとしても、駅の暗い階段ですべって転んだり、見知らぬ駅で行き先表示が分からなくて大きな荷物をかかえて立ち往生したりした経験はないだろうか。

さて、あなたが新しい駅の建設に加わるとしたら、どのような点に注意してどのような手法で設計をすすめるだろうか。

1）2006年には「高齢者、身体障害者等が円滑に利用できる特定建築物の建築に関する法律（ハートビル法）」と統合され、「高齢者、障害者等の移動等の円滑化の促進に関する法律（バリアフリー新法）」が施行された。
2018年12月には、ユニバーサル社会の実現に向け、「ユニバーサル社会の実現に向けた諸施策の総合的かつ一体的な推進に関する法律（ユニバーサル社会実現推進法）」が公布・施行された。

★参考文献：黒田光太郎・戸田山和久・伊勢田哲治編著『誇り高い技術者になろう——工学倫理ノススメ』名古屋大学学術出版会（2004）156-172頁、川内美彦『ユニバーサル・デザイン——バリアフリーへの問いかけ』学芸出版社（2001）

POINT

すべての人を公平に扱い可能なかぎり使用者の心と身体に配慮するユニバーサルデザインの設計思想。

伊丹駅はユニバーサルデザインの設計思想に基づいて設計されている。ユニバーサルデザインは、建築家ロン・メイス教授によって1980年代に提唱された考え方で、「改造や特別のデザインを必要とせずに、可能なかぎり最大限に、すべての人々によって利用可能な製品や環境のデザイン」と定義される。それは以下の「ユニバーサルデザインの7原則」としてまとめられている。1. 誰もが公平に利用できる、2. 自由度が高い、3. 使い方が簡単でわかりやすい、4. 情報が理解しやすい、5. ミスをしても安全である、6. 身体的に省力ですむ、7. 近づいたり使用する際に適切な広さの空間がある。

バリアフリーは、障害のある人が生活でバリアとなるものを**事後的対処的に**取り除くという発想であるのに対して、ユニバーサルデザインは、能力の有無や年齢や性別や人種の違いなどにかかわらず、多様な人々が公平に使いやすいように、**あらかじめ**デザインをするという点で異なっている。そして、安全性についてはフェイル・セーフ☞の必要が述べられているだけでなく、7原則のガイドライン全体で繰り返し注意がうながされている。利用者の年齢や身体的能力の違いに注意をはらって、操作の仕方や情報をわかりやすくし、身体への負担を軽くし、実際の使用時にスペースが確保されていることを求めることは、利用者のさまざまな状況を考え、安全性への注意をうながす。つまり、**ユニバーサルデザインは、すべての人を公平に扱い可能なかぎり使用者の心と身体に配慮するという意味で、すぐれて倫理的**であり、安全性への行き届いた配慮をする設計思想なのである。伊丹駅の設計においては、計画から建築のすべてのプロセスに障害者や高齢者の代表や利用者が参加し、数多くの意見を実際に反映させることによって、誰もが安心して利用しやすい駅ができた。ユニバーサルデザインは、利用者の意見やニーズを設計のすべての段階に最大限に組み入れるという新しい設計思想である。社会の急速な高齢化がすすむなかで、若い健康な男性だけを設計モデルとした従来のものづくりの発想から転換をしなければならない。ユニバーサルデザインの設計思想は、今後、あらゆる分野に広がっていくに違いない。

☞ 事例分析 03-1「日本航空ジャンボ機墜落事故」◆1

04-1 日航機ニアミス

事故調査

事故の原因は誰にあるのだろうか？ 誰が責任を問われるべきだろうか？

静岡県上空は、巡航高度で飛ぶ航空機、高度を上げる航空機、下げる航空機が交錯する過密な立体交差点である。一日約420機が飛び交う、国内で最も交通量の多い空域のひとつだ。

その上空約1万1千メートル付近で、2001年1月31日、羽田発那覇行き日本航空907便と釜山発成田行き同958便が衝突すれすれにすれ違い、急な回避操作を行った907便で、客室乗務員がワゴンごと浮かび天井に頭をぶつけるなどし、数十人の乗員・乗客が重軽傷を負った。両機の高度差は60メートルだったとも10メートルだったとも言われる。合わせて677人の旅客機が空中衝突する惨劇を間一髪でまぬかれた。

事故当時、機体や気象に異状はなかった。907便は羽田を離陸後西方向へ行き静岡県焼津市まで飛んで南に方向転換する予定で、巡航高度へ上昇中だった。一方、958便は焼津市を通って東方向へ向かう途中で、巡航高度から降下を始めたところだった。両機は焼津市の南方で交差する。事故の約1分前、高度がほぼ同じになり、両機の空中衝突防止警報装置（TCAS）が作動した。

交信記録では、東京航空交通部の管制官が、上昇飛行中の907便に、いったん降下するよう指示を出した。ところが38秒後に上昇を指示。その直後907便のTCASが作動した。降下を始めていた907便の機長は、最初の管制の指示で降下を始めており降下を続ける方が適切と判断し、TCASの上昇指示とは異なる降下を選択した。他方、958便の機長は907便が降下しているとは思わずTCASの指示に従い降下。その結果、両機とも降下を続け、衝突寸前となったのである。

両機を担当していた管制官は研修生で、958便を降下させようとして勘違いして907便に降下を指示し、指導役として同席していたもうひとりの管制官もミスに気付かなかった。

＊＊＊

国土交通省航空事故調査委員会（現、運輸安全委員会）は、同年２月、管制官の便名の取り違え、機長と管制の意志疎通不足、TCASに対する判断の差、など、少なくとも五つの要因が連鎖して起きた複合事故であるとの見方を固めた。

東京地検は、2004年３月、管制官二人を業務上過失傷害罪で在宅起訴した。同容疑で書類送検された907便の機長は、嫌疑不十分で不起訴となった。

★事例の出典：新聞の報道による

POINT さまざまな意見に耳を傾け、法的責任の追及と事故調査の理想の姿を考えていこう。

ニアミス事故の引き金となる間違った指示を出したとして管制官二人が起訴されたことに対しては、異議を唱える関係者もいる[1]。

たとえば日本航空機長組合は、「907便機長の判断、操作は当時の法律・規定になんらの違反もなく、一瞬の的確な判断で数百名の生命を救った行為は絶賛されこそすれ、刑事罰に問われる理由は全く無い」がゆえに、当該機長の不起訴は当然である[2]、とし、他方、管制官の起訴については、「国土交通省は、本事故後管制システムについて……30項目以上の改善策を講じており、事故当時の管制システムが不十分であったことを認めたものとなっている」、「現在の脆弱な管制システムや超過密空域・航空路の問題などを根本的に改善させることこそが、喫緊の課題であり、利用者国民の利益にかなうものである。巨大かつ未完成の管制システムにおける事故において、管制官など直近の行為者のみの刑事責任を問うことは、事故の再発防止や将来の航空の安全なシステムの構築になんら寄与する

◆1
もちろん、事故が起こった以上、当然だれかが責任を問われるべきであるという考え方もあるだろう。
管制官2名の刑事責任について、1審の東京地方裁判所は無罪を宣告したが、東京高等裁判所は1審判決を破棄、禁固1年から禁固1年6ヶ月、執行猶予3年の有罪判決を言い渡した。2010年10月、最高裁は上告を退け、管制官2名の有罪判決が確定し、管制官は失職した。裁判官5名のうち1名は、システム全体の安全性の向上のためには刑事責任追及は妥当ではないとして反対意見を述べている。

◆2
TCASの信頼性は確立されておらず、パイロットの一割が自分の判断などを優先させているとされる。

ものではなく、むしろ逆行するものであ」り、起訴を取り下げるべきである、とのコメントを発表した。◆3

また、国土交通省の幹部は、「事故調査報告書も多くの要因が複合した事故だと指摘している。管制官にすべてを負わせるのは酷だ」と話している。◆4

航空・鉄道事故が発生すると、運輸安全委員会◆5は、再発防止を目的とした事故原因の究明に乗り出し、警察は、業務上過失致死傷などの疑いで捜査を開始する。米国では航空事故については単純過失を処罰する規定はないが、しかし日本では過失にも刑事追訴の可能性がある。そのため、刑事責任をのがれるために黙秘権を行使し、その結果、原因究明に必要な当事者の証言を得られなくなる可能性を指摘する声もある。◆6

複数の要因がからんだ事故の責任を問われるべきなのは誰なのか。ミス（ヒューマンエラー）にどう立ち向かうべきか。将来の安全を実現するための事故原因の究明と刑事責任の追及とはどのような関係にあるべきなのか。このような問題はまだ整備が不十分であり、今後検討していかなければならない課題である。

◆3
http://www.jalcrew.jp/jca/news-htm/18/18-237. htm

◆4
『朝日新聞』2004年3月31日朝刊

◆5
国土交通省の外局のひとつ。1973年に航空事故調査委員会として設立、2001年に航空・鉄道事故調査委員会に改組され、2008年に運輸安全委員会に改組された。
http://www.mlit.go.jp/jtsb/

◆6
証言を得るために、過失については責任を問わないことも考えていくべきだというひともいる。あなたはどう考えるだろうか？
また、事故原因の調査結果は、責任追及に用いるべきだろうか、用いるべきではないだろうか？

04-2 信楽高原鉄道事故

事故調査

事故が起こってしまった場合、必要なことは何だろうか？

滋賀県甲賀郡信楽町を走る第三セクターの信楽高原鉄道（SKR）（信楽－貴生川間約14.7キロ）の単線で、1991年5月14日、SKRが所有する上り普通列車（4両）と、直通で乗り入れた西日本旅客鉄道（JR西日本）が所有する下り臨時快速列車（3両）が正面衝突し、死者42人、重軽傷者614人が出た。

信楽町では同年4月20日から5月26日までの予定で世界陶芸祭が開催されており、SKRは多くの入場者のアクセスを確保する必要があった。しかし、従来のように一編成4両の列車を折り返し運転するだけではさばききれないため、列車を行き違いさせるための待避線を設置し（小野谷信号場）、東海道線および草津線を経由してJR西日本の臨時列車が乗り入れることとなった。

事故当日は、上りSKR列車が信楽駅を出発しようとしたところ、出発信号が赤から青に変わらなくなり、定刻より11分遅れて信号が赤のまま出発した。一方、貴生川駅を定刻より2分遅れて出発した下りJR列車は、小野谷信号場で上り列車と行き違いをする予定であったが、上り列車が待避していなかった。しかし、出発信号が青だったためそのまま進行、そこから2.4キロの地点で上り列車と正面衝突したのである。

この事故は、どこかの時点で誰かがもっと注意を払っていれば、手続きを遵守していれば、双方の列車・会社が連絡を取り合っていれば、防ぐことができたであろう事故であった。また、事故以前にも3度の信号トラブルが発生しており、信号システムについて両社が十分に協議を尽くしていれば、防ぐことができた事故であった。

＊＊＊

滋賀県警は、SKRの元運転主任ら3人、JR西日本の運転手を送検。大津地検は、SKRの3人だけを業務上致死傷などの罪で起訴した（のちに大津地裁で執行猶予付きの禁固刑が確定）が、JRの運転手と、「遺族の会」が告訴したJRの幹部らについては嫌疑不十分で不起訴処分とした。

遺族らは損害賠償を求める訴訟を起こした。両社に対して賠償責任を認めた一審を不服としてJR西日本は控訴したが、控訴審も一審判決を支持しJR西日本の控訴を棄却した。事故から11年、2002年の12月26日のことであった。その11年間、JRから謝罪のことばはなかった。

★事例の出典：新聞の報道による。また、詳しくは、鉄道安全推進会議編『鉄道事故の再発防止を求めて』日本経済評論社（1998）を参照。

事故原因の究明、法的責任の追及、被害者の救済。これらを行う理想的な制度が必要だ。

信楽高原鉄道損害賠償訴訟の判決は、組織内で役割分担が細分化されていたため、どれかひとつをとっただけでは事故の責任を問い難いが、情報収集・報告体制の確立が不十分であったとしてJR西日本の使用者責任を認め、損害賠償を命じた[◆1]。JR西日本の教育や安全を担当する部署の責任者の過失が認められたことで、遺族の中には「なぜJRの刑事責任を追及できなかったのか」と割り切れない気持ちもある[◆2]。

刑法は、個々の行為者の行為とそれによって生じた結果に対して個人の責任を追及する。そのため、企業事故のような組織における責任追及においては、刑法にはどうしても限界がある[◆3]。

なぜ被害者や遺族は民事訴訟を起こすのだろうか。もちろん金銭的救済を求めて、であるが、しかし、それだけではない。

被害者や遺族は事故原因の徹底的な調査を求める。「とくに遺族は、なぜ自分の身内が、どうしてこんなことになってしまったのか、

◆1
詳しくは、『判例タイムズ』1010号(1999年11月15日)・1116号(2003年6月1日)、『判例時報』1688号(1999年12月1日)・1812号(2003年5月1日)

◆2
『朝日新聞』(大阪)2002年12月27日

◆3
刑法と民法については、☞基礎知識03「製造物責任について知るべきこと」◆4参照。

一体その原因は何なのかなど、やりきれない悶々とした想いをいだき続ける。愛する人を喪った深い悲しみや愛する人を奪われた怒りは、簡単には癒されるものではない。しかし、事故原因が明確かつ正確に分かることは、少なくとも遺された人々の癒しの出発点となるのである[◆4]」。事故が起こってしまった場合、事故原因の究明は、同種事故の再発防止のために必要であるが、それに加えて被害者や遺族の精神的救済のためにも必要なのである[◆5]。裁判はしばしば、被害者や遺族にとって、事故の真相を知るための場となる。

また、遺族らは、JRの刑事責任が問われなかったことから、責任追及のためにも民事訴訟を起こした。民事訴訟は単に金銭を争う場ではないのである。

事故に際しては、事故原因の究明、法的責任の追及、被害者の金銭的・精神的な救済が必要だ。これらが適切に行われる理想的な制度を考えていかなければならない[◆6]。

◆4
鉄道安全推進会議編『鉄道事故の再発防止を求めて』日本経済評論社(1998)、199頁

◆5
被害者・遺族は、加害者の誠実な対応を望んでいる。事実の正確な説明と謝罪を望むのである。では、「謝罪」と「法的な責任を認めること」はどのような関係にあるのだろうか。考えてみよう。

◆6
JR福知山線脱線事故(2005年4月25日、JR西日本福知山線(宝塚線)塚口～尼崎駅間で発生、死者107名)も、あらためて、これらの問題を考えさせるものであった。

事例04-1・04-2で扱った問題を考えるための文献として、次のようなものがある。

・『ジュリスト』No.1245(2003年6月1日)所収の「座談会　現代における安全問題と法システム」、中尾政之「事故調査と責任追及――失敗学の視点から」、川出敏裕「事故調査と法的責任の追及」
・鉄道安全推進会議編『鉄道事故の再発防止を求めて』日本経済評論社(1998)
・松宮孝明「交通事故における刑事過失責任追及の意味」『法と心理』第1巻第1号(2001)
・関口雅夫「航空事故調査制度の課題とあるべき展開」『空法』45号(2004)
・池田良彦「航空事故とパイロットの法的責任について」http://www.japa.or.jp/learning/lecture/houteki3.pdf

05-1 三菱自動車工業リコール隠し事件

製造物責任

専門技術者として適切な判断を下し、情報を開示する。組織としても倫理的な判断を行うことが必要。

2000年7月、運輸省（当時）が、匿名の通報に基づき、立ち入り検査（特別監査）をしたところ、本社のロッカー室から定例検査で提出されていない大量の書類が見つかり、情報の隠ぺいが組織的に行われていたことが発覚した。顧客からのクレーム情報は「商品情報連絡書」として本社に報告されるが、その半数以上に、保留、秘匿を意味する「H」マークが付けられ、二重管理されていた。情報の隠ぺいは1977年から行われ、品質関係業務にかかわる部門の部長レベルまでがこのことを承知しており、複数の役員も認識していたとされる。処理が電子化されて以降は、二重管理のためのプログラムも組まれていた。また、運輸省に届け出ずに、顧客に連絡して、無償修理（指示改修）を、1969年から行っていた。8月27日には、警視庁が道路運送車両法違反容疑で本社など5カ所を家宅捜索し、関係書類など約1000点を押収した。リコール制度発足以来、初めての強制捜査であった（後に、副社長ら4人と法人としての三菱自工が起訴され、罰金刑が確定する）。三菱自工は約80万台のリコールの届け出を行い、その費用は175億円にもなった。そして、多くの消費者からの信頼を失い、業績が低迷することになる。

2004年3月には、三菱ふそう（2003年1月に三菱自工から分社）のトラックにもリコール隠しが発覚する。2002年1月、横浜市で三菱自工製の大型トレーラーから左前輪が外れ、歩道にいた親子連れを後方から直撃し、母親が死亡、子ども2人が手足に軽傷を負う事故が発生していた。タイヤと車軸をつなぐ「ハブ」が破損したための事故だった。三菱自工は当初は整備不良による摩耗が原因としていたが、「ハブ破損と整備不良の関係は少ない」とした技術者の報告書が見つかり、部品の構造的欠陥と情報の隠ぺいを認めた。2004年5月にもクラッチ系統の欠陥隠しが発覚した。2002年10月に山口県で冷蔵車が暴走、衝突事故を起こして運転手が死亡した事故では、クラッチを格納する部品クラッチハウジングに欠陥があり、エンジンの回転を後輪に伝えるプロペラシャフトが脱落しブレーキパイプが破損、ブレーキが利かなかったのが事故の原因とみられる。この欠陥は1996年には把握されていたが、リコールせず、2000年にも公表されなかった。横浜市の事故では、元市場品質部長ら2人の有罪が確定し、山口市の事故では、三菱ふそう元会長、三菱自工元社長ら4人の有罪が確定した。

★事例の出典：毎日新聞、朝日新聞、日本経済新聞、読売新聞2000年7月18、19、26、27日、8月22、23、28、29日・2002年3月1日・2004年03月11、12、13、19、25日・4月7、17、22日・5月20、21、27日

POINT 組織の中での専門技術者の判断の重要性。情報の開示の必要性。

自動車のように多数の部品からなる複雑な技術製品においては、100％の安全性を達成するのは極めて困難である。事前に様々なシミュレーションや実験を行い、安全性をチェックしているとしても、リスクは0にならない。そこで、ユーザーから情報を集め、不具合に対応し、危険性が大きい場合には迅速に回収・修理する必要がある☞。リコール制度は技術的製品の安全性を高めるために必要な社会的制度と言える◆1。不具合が生じることは過失だとしても、危険性を知りながらクレーム情報を隠すことは、故意の悪質行為となる。企業がリコールをためらう理由は、イメージの低下とコストの問題である。三菱自工の場合も、「担当者の間ではリコール件数を最少化したいという意識」があり、リコールを公表することで「お粗末な車を出している、とのイメージを持たれてしまい、恥ずかしい」という社長の発言がある。公表せずに修理してしまえば、イメージの悪化もなく、安全性にも問題ないという判断が働いたのだろう。「リコール手続きには時間がかかる。独自に

基礎知識 08-c ☞「社会的実験としての技術」

◆1
【リコール】
自動車の設計・製作に問題があり、構造・装置・性能が安全・公害防止の規定に適合しない（しなくなるおそれがある）時、運輸省に届け出て自動車を回収し無料で修理する制度。1969 年に法制化された。
2022 年度における自動車のリコール届出は、国産車と輸入車を合わせて、総届出件数 383 件 (対前年度 14 件増)、総対象台数 464 万 9433 台 (対前年度 39 万 1502 台増)。
リコール情報は、国土交通省のページ https://renrakuda.mlit.go.jp/renrakuda/top.html から得ることができる。

改修した方が早く、その方がユーザーの安全につながると判断した」という言葉もそれを裏付ける。しかし、2002年に起こった2つの人身事故はこうした判断が自己欺瞞に過ぎないことを示している[◆2]。危険性が分かった時点で迅速に対応することが企業には求められる。大きなコストがかかるとしても、リコール隠しが発覚した時のマイナスはその比ではない。技術製品が高度化しブラックボックス化すればするほど、作る側への信頼が重きをなす。消費者の信頼を失うことは、企業にとって死活問題となるのである。自動車の場合、それを運転する人だけでなく、その周囲の人にまで危害は及ぶ。技術者は会社に対する義務だけでなく、公衆に対する義務も忘れてはならない。企業・組織の一員としてだけでなく、技術者という専門職のモラルと責任を考える必要がある。このモラルは長期的な視野からすると企業の利益にも社会の利益にも合致することを認識し、技術者個人のモラルとともに組織の倫理も確立していく必要がある[◆3]。

◆2
この事件を機に、リコール制度の規制強化を図る道路運送車両法の改正法が、2002年に成立した。以前は行政の権限は勧告と公表のみだったが、強制力を伴う命令が出せる。また、以前は罰金20万円以下だったが、改正後は個人は罰金300万円以下または懲役1年以下、法人は罰金2億円以下へと引き上げられた。

◆3
なぜ、リコール隠しを止められなかったのか。「前の担当者がやっていたから」という習い性や遵法意識の欠如がその理由として挙げられる。組織の一員としてこれを変えることは困難だったかもしれない。組織や企業の倫理が公衆の利害に著しく反し、組織内の個人がそれを正せない場合は、最終手段として「内部告発」せざるを得ない状況も生じる。
☞事例分析4-d「内部告発」

05-2 六本木ヒルズ回転ドア

製造物責任

将来の安全を実現するために必要なことは何だろうか？

東京の新名所となった大型複合施設「六本木ヒルズ」内の森タワー２階正面入り口で、６歳の男児が自動回転ドアに頭を挟まれ、亡くなった。2004年３月26日のことである。

男児は、回転ドア付近で母親の手を離し、小走りでドア内に入ろうとした。駆け込み防止フェンスをすり抜け、挟まれ防止センサーに感知されないまま、閉じかけたドアの側面ガラスと固定のステンレス製の枠との間に頭を挟まれた。ドアの回転は止まった。母親と近くにいた人たちが回転ドアを逆方向に動かして男児を救い出したが、ほぼ即死状態だった。

天井のセンサーの検知エリアは、当初は基準通りの地上80センチから天井までに設定していたが、センサーの誤作動が相次いだため、地上120センチから上に狭められていた。男児の身長は117センチであった。

センサー検知後に回転ドアが停止するまでに動く距離（制動距離）は25センチあり、また、万が一挟まれた場合にドアを逆向きに押し返す安全装置もなく、センサーが機能しても事故を避けられない構造的問題もあった。

森ビルは、オープンした2003年4月から回転ドアの事故が計32件起きていたことを明らかにした。また、国土交通省の調査では、回転ドアにおける事故は全国で270件、骨折の23人を含む133人がけがをしている。

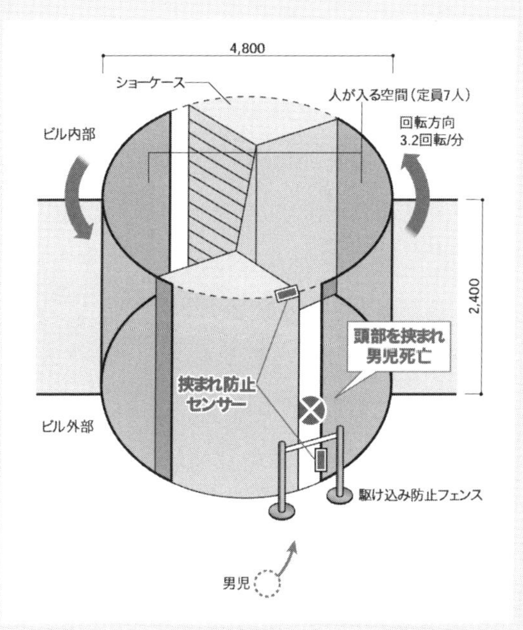

森タワー自動回転ドア事故の模式図
『日経アーキテクチュア』2004年4月19日号、p. 47

★事例の出典：新聞・雑誌の報道による

POINT

過去の事故から学ぶこと。情報を共有すること。これらは、安全の実現のために不可欠である。

◆1
自動回転ドアは、建物内の温度や気圧を一定に保ち、経済性も優れていると言われる。

警視庁は事故発生の4日後という異例の速さで、施設を管理する森ビルと、回転ドア[◆1]の製造元（三和タジマ）親会社の三和シヤッター工業などの家宅捜索を開始した。事故後、両社の主張に食い違いが多く生じたため、すみやかに関係資料を押収し事故の真相解明を行う必要があると判断したためとみられる。

両社の主張・認識の違いはさまざまな点に現れた。25センチの制動距離について、「制動距離の存在は理解してもらっていたと思う」（三和シヤッター工業）。「25センチという具体的な数字を知っていたら採用しなかった」（森ビル）。

回転ドアの速度については、「危険回避のために標準の毎分2.8回転にしたいと申し入れたが、聞き入れられなかった」（三和シヤッター工業）。「説明書には2.8〜3.2回転で使えるとある」（森ビル）。

また、以前の事故情報については、「連絡を受けたのは3件」（三和シヤッター工業）。「主な事故情報は伝えてきた」（森ビル）。

新聞は、「双方の主張に、事故情報を共有して対策を練る姿勢は感じられない[◆2]」と指摘した。

回転ドアの安全性には公的な基準はなく、メーカー任せであった。技術革新が進み、また製品が多様化すると、行政による基準が追いつかない場合もある[◆3]。だから、企業は、進んで過去の事故から学び、安全を実現していく必要がある☞。

「工学は今でこそ知識が体系化されているように見える。しかし実際は、事故が生じるたびにエンジニアが応急対策した知識が経験的に蓄積された結果、網羅的な構造が出来上がったに過ぎない[◆4]」と、ある工学者は述べている。

製造者も管理者も、設備の運用や事故についてしっかりと情報を共有するシステムを作らなければ、高い安全性は実現されないのである。

＊＊＊

2005年3月30日、東京地裁は、業務上過失致死罪に問われた、森ビルと三和タジマの計三人に対して、「過去に同様の事故が起きており、事故を予見できた」として、有罪判決を言い渡した[◆5]。

◆2
『朝日新聞』2004年4月3日

◆3
「国の無策ぶり」を非難する報道もあった。国は事故後、2004年6月にガイドラインを作成した。また、経済産業省は2005年8月30日、自動回転ドアの日本工業規格（JIS）を制定した。

☞ 基礎知識03-b「製造者（技術者）が注意すべきこと」

◆4
中尾政之「事故調査と責任追及――失敗学の視点から」『ジュリスト』1245号（2003年6月1日）41頁

◆5
三和タジマは、事故が起こった回転ドアを、動く状態で保存している。同社社長は、「無形の安全対策を唱えるだけでは、時間の経過とともに教訓が伝わらなくなる。有形で残せば、安全への意識を持ち続けられる」と述べている。また、信楽高原鉄道（事例04-2参照）の信楽駅も1997年に、衝突事故の資料館を設置している。（『朝日新聞』2005年10月2日）

06-1 遺伝子スパイ事件

知的財産権

知的財産をめぐるトラブルに巻き込まれ、研究者生命が突然絶たれることもある。

アメリカ帰りの日本人研究者が、帰国後FBIに起訴された。嫌疑は「経済スパイ」の罪。起訴状によれば、この研究者はアメリカで勤務していた研究所から、遺伝子試料などを「盗み出して」日本に持ち帰り、そのことで日本の受け入れ研究機関の利益を図ったとされる。一方被告の主張では、自分がアメリカで作成した遺伝子試料を持ち出したことは事実だが、そこに「窃盗」の意図はなかったという。

被告はアルツハイマー研究の第一線にあった研究者で、帰国後先端的研究のチームリーダーとして期待されていた人物だった。だがFBIの起訴によって、彼の研究生命は絶たれ、現在は田舎町に移り住み、勤務医として勤めているという。

2001年の起訴後、FBIは日米条約に基づいて日本政府に身柄引き渡しを請求したが、この請求を審査していた東京高裁は2004年に結審し、請求を退けた。これによりアメリカ司法省は身柄引き渡しを断念、事件は一応の決着を見た。だが真相はいまだ藪の中である。

★事例の出典：新聞各紙

大学は企業化している。研究者であっても、企業人の感覚が求められる。

同じ時期に、同様の逮捕劇が別にもあった。ハーバード大学医学部に在籍していた日本人を含む二人のアジア人研究者が遺伝子試料を「窃盗」、移籍先のアメリカ国内の別の研究室に持ち出したほか、研究成果を漏洩してその実用化を日本企業に持ちかけたとされ、経済スパイ法違反で逮捕された。逮捕後この日本企業は、漏洩された情報に基づく研究データや試料をすべてハーバード大学に返還することになった。

経済スパイ法は、1996年に制定されたアメリカ連邦法で、その目的は、企業秘密の持ち出しが「窃盗」犯罪にあたることを明確にすること、とりわけ外国人が企業秘密を自国へと持ち出すことを警戒し、予防することである。ここでの「企業秘密」とは、図案や設計図、ノウハウや工程、試作品やプログラムコードなど、経済的価値を持つと思われるあらゆる種類のものであり、それを「持ち出す」あらゆる形態、例えばコピーする、スケッチする、描き取る、写真に撮る、ダウンロードする、アップロードする、改竄する、破棄する、持ち帰る、伝達する、メールするなどが「企業秘密の窃盗」として禁止される。

企業から企業秘密を盗み出すことの違法性は理解しやすい。だが、大学の研究室において、自分で行った研究の成果、研究ノート、または試作品や試料もまた、その大学の「企業秘密」として慎重に扱われなければならず、移籍に際して安易にそれらを移籍先の研究室に「持ち出す」ことが「企業秘密の窃盗」にあたるのだということは、うっかり見過ごされやすい。自分の研究成果は、自分の私的財産では決してない。大学はいまや企業化しつつある。

事例分析 10-1「楽天モバイルへの機密漏洩事件」

大学の企業化は、アメリカで80年代以降に急進展したと言われる。1980年に制定されたいわゆる「バイドール法」[◆1]によって、アメリカでは大学の技術情報やノウハウを特許として登録し、事業化に利用することが可能になった。バイドール法以前は、公的資金による大学研究の成果は公共の財産として通用し、特許に結びつく技術があっても、その特許権は政府など公的機関に帰属するものとされていた。バイドール法は、公的資金による研究の場合であっても、その成果から特許が生まれれば、大学や研究者がその権利を所有することを可能にした。これにより、大学が

◆1
「バイドール法」は通称で、正式には「1980年アメリカ合衆国特許商標法修正条項」、その名のとおり、アメリカの特許商標法を1980年に修正した条項のこと。この修正条項により、本文に述べたように、公的資金による研究についても大学や研究者が特許権をもつことが可能になった。

自分の研究成果を積極的に特許登録し、事業化して利益をあげようという機運が高まり、「大学発ベンチャー企業」が多数生まれたとのことである。企業の基礎研究部門をまるごと請け負う、あるいは実用化可能な研究成果を企業に積極的に売り込みに行くなど、いわゆる「産学連携」が、いまやアメリカの大学の当たり前の姿となった。[◆2]

アメリカにならう形で、日本でも特に近年、「産学連携」がさかんに奨励されている。大学発ベンチャーも少しずつ増えてきているし、特許化可能な大学内の知的財産を管理して、企業と折衝する専門機関である「TLO（技術移転機関）」[◆3]もさまざまな大学で活動を始めている。自分の研究内容が重要な企業秘密となりうることの認識も高まっている。だが、この点に関して、アメリカと日本ではまだまだ温度差があるといわれる。研究内容の漏洩にルーズな日本人の感覚が、「遺伝子スパイ事件」の要因の一つなのかもしれない。だが、とりわけ製薬や医療技術など、巨大な利益に直結しやすい研究分野では、このルーズさはまさしく命取りとなる。日米の「文化の差」ですまされなくなってきている。[◆4]

◆2
「産業界と大学が連携する」という意味の「産学連携」は、「大学の高度な研究成果を産業利用する」という役割とともに、「公的資金を用いている大学という研究機関の成果を、広く社会に還元する」という役割ももつ。

◆3
大学側は企業がどのような技術を求めているのかわかりづらい。企業側は大学がどのような技術力をもっているのかわかりづらい。そこで大学と企業の橋渡しをするため、産業利用できそうな研究テーマを大学から探し出し、特許申請したり、企業にわかりやすく伝えて売り込む仕事をする専門の機関が必要になってくる。これが「TLO（技術移転機関）」で、2023年現在32機関設立されている。

◆4
文部科学省は一連の経済スパイ事件を受けて、研究開発成果の外部持ち出しに関する考え方や注意事項を取りまとめて、特に海外で活動する研究者に注意を促している。例えば「海外における研究活動に関する注意事項」(http://www.mext.go.jp/b_menu/oudou/14/08/020808.htm) などを参照のこと。

(1) 読売新聞東京本社経済部編『「知財」で稼ぐ！』光文社新書 (2004)

06-2 青色発光ダイオード裁判

知的財産権

対価604億円の衝撃。成果を上げた研究者はどのように処遇されるべきか？

発明の対価は604億円。2004年、裁判所の下した判断に、産業界は騒然となった。小さな企業の無名の研究者が果たした世界的大発明、青色発光ダイオード特許の対価だった。

中村修二氏が大企業を出し抜く大発明をなしとげたのは1993年のこと、蛍光体を扱っていた小さな企業で、彼以外に半導体の専門家もいない「貧弱」な研究環境の中、しかも主流から外れたアプローチをあえて選んで、10年来の数限りない試行錯誤を繰り返した末に、実現はまだまだ先と思われていた青色発光ダイオードの発明に成功したのだった。青色は三原色の一つであり、白色光や任意の色を生み出せる。また短い波長は高密度の情報媒体ともなり、さらに波長の短い青紫への道も開く。企業は直ちにそれを特許化、すぐに形成された青色LEDの巨大な市場を独占し、大企業へと躍進した。さらに新分野を切り開くべく、設備・人員とも大幅に拡充し、白色ダイオードや青紫レーザーなど、基幹的な新製品を生み出していった。その一方で、中村氏には、日本企業に慣例的な「特許報酬」として、2万円が支払われただけだった。

中村氏は管理職として処遇されたものの「書類と会議に振り

舞わされる仕事」に飽き足らず、研究職を求めてアメリカの大学に移籍することになった。機密漏洩を懸念する企業は中村氏に、青色LED関連の研究を行わない旨の誓約書に署名することをせまったり、特許侵害で所属機関や中村氏がアドバイザーを務める米企業、さらには中村氏本人を訴えることを繰り返した。業を煮やした中村氏は、そもそも青色LEDの発明は、職務に基づかない発明、あるいはむしろ「職務に背いて」行われた発明であり、その特許は本来自分のものだとして、企業を逆に特許侵害で訴えることになった。第一審の裁判所は、特許の帰属については中村氏の訴えを退けたが、発明者は特許による利益を、その貢献度に応じて受け取ることができるとして、特許による利益を1208億円、中村氏の貢献度を50パーセントとして、発明の対価604億円と算定したのである[1)]。のちの第二審で両者は和解に至り、結局企業が支払う額は6億円とはなったが、第一審の裁判所の判断は、企業における発明（職務発明）の対価のあり方について、大きな問題を提起することになった。

1）請求額は200億円だったので、実際の判決はその満額の200億円。604億円というのは、仮に請求があったならその額まで認められるとの裁判官の意見。

★事例の出典：中村修二「ごめん！」ダイヤモンド社（2005）

POINT 研究者は企業にとってリスクであるべきでない。研究者が報われる環境が求められる。

特許は発明者の権利を保護するためのものである。企業に勤める研究者が企業の資金や設備を用いて職務として行う発明(職務発明)についても、このことは変わらない。つまり特許の権利者は、まず発明者である社員である。とはいえ、企業は社員の特許を円滑に活用できなければならない。そこで日本の特許法にはいわゆる職務発明条項[◆1]があり、企業は社員の特許を、本人と取り決めを交わした上で、「相当の対価」と引き換えに譲り受けることができるとしている。この「取り決め」は、かつては企業が一方的に定め、「相当の対価」としては、発明のもたらした利益に関わらずご祝儀的に少額の金銭が支払われるだけということが多かった。だが職務発明条項は、労使間の事前の取り決めが「不合理」なら、裁判所は改めて「相当の対価」を算定し直すことができるとも定められている。社員が高額の発明対価を勝ち取った中村裁判(第一審)(およびその前後のいくつかの裁判[◆2])は、その条文の威力をみせつける結果となり、企業

◆1
特許法第35条。

◆2
なかでも、光ディスク特許(日立)訴訟第二審判決は、1億6500万円というこれまでで最高の発明対価を認めた。中村裁判の第一審判決はその翌日だった。

は自社の研究者処遇のあり方の見直しを迫られることになったのである。[3]

社員の権利を厚く保護し、成果に見合った評価を受けてこそ、社員の開発意欲があがり、企業も技術競争力を高めることになる。中村氏は強くそう主張する。だが逆の見方もある。社員の研究開発にあたって企業は雇用保障や設備投資などの多大のリスクをすでに負っている。この上に、社員の特許を、いわばその売り上げに応じて事後的に補償しなければならないとすれば、リスクの上にリスクを重ねることになる。企業主導の「イノベーション」にブレーキがかかってしまう。そこで産業界は職務発明条項の廃止を主張する。[4] だが企業にとって研究者がリスクでもあるとはおかしなことだ。むしろ研究者が成果に応じて正当に評価される環境こそが望まれる。[5]

◆3
特許報奨を大幅に引き上げる、役員待遇として研究者を処遇するなど、さまざまな取り組みがある。岸（2004）参照。

◆4
日本経済団体連合会の政策提言「職務発明の法人帰属をあらためて求める」（2013年5月14日）http://www.keidanren.or.jp/policy/2013/046.html など

◆5
中村氏は、自分が欲しかったのは金銭的報酬ではなく、研究者としてのまっとうな評価だったと繰り返し述べている。

・竹田和彦『特許はだれのものか』ダイヤモンド社（2002）
・谷光太郎『青色発光ダイオードは誰のものか』日刊工業新聞社（2006）
・岸宣仁『発明報酬』中公新書ラクレ（2004）

07-1 原発コンクリート大量加水事件

施工管理

作業の効率化や経済性をあまりに重視することによって、生産物の安全性を犠牲にするべきではない。

問題となっているのは、1972年7月に着工され、1976年12月に運転を始めた原子力発電所（関西電力美浜原発3号機）である。原発建設の際、生コンは約18キロ離れた生コン工場で製造され、ミキサー車で建設現場に運ばれた。現場では、電力会社や大手ゼネコンの技術者計30人が、交代で指導・管理にあたったという。マスコミの取材では、ミキサー車の運転手や、品質管理をする立場にあった生コン会社の技術者、生コンを型枠に流し込むポンプ車の作業員ら計20人余りが加水を認めた。

コンクリートは、水を多く使うほど強度や耐久性が低下する。したがって、コンクリートを練り混ぜる際に添加される水の量は、厳しく管理しなければならない。にもかかわらず、勝手に生コンに水を加えて流動性の高い状態にしてしまう「不法加水」が行われた。

原発で使われたのは、強度を高めるため水分が少ない配合の固練りの生コンであった。当時は、ポンプ車で生コンを型枠に押し流す工法が普及したばかりで、ポンプ車の性能不足から長さ数10～100メートル前後の配管がしばしば詰まって作業が中断した。そこで、運転手が効率を上げ、運搬量を増やそうと自らの判断で水を加えたほか、ポンプ車の作業員の指示や、配管の先にいて生コンが型枠の隅々にまで行き渡るようにする作業員の要求で加水する場合があった。また、生コン会社の技術者が指示することもあったという。

以下に、生コン会社関係者の主な証言を抜粋する。

運転手：炉心部でも関係なく、水はじゃぶじゃぶ入れていた。自分も100リットル以上は普通に入れていた。

技術者：最初は注意したが、改まらず、どうしようもなかった。現場で一人で文句を言えば、つまはじきにされた。

技術者：早く作業を終わらせたいときは、自分が排水用のパイプで水を入れた。

原発の安全性をめぐる議論には、「施設は設計通り厳格につくられている」という前提があった。原発では部分的な設計ミスが指摘されることはあっても、施設自体は最高レベルの設計仕様で建設されているとされてきた。しかし、その足元の建設現場では手抜き工事が横行していたのである。

★事例の出典：『朝日新聞』（2000年2月18日付朝刊、19日付朝刊、21日付朝刊、23日付夕刊、28日付朝刊）

POINT

生産物の安全性と作業の効率性とのトレードオフをうまく考慮すること。

原発施設のコンクリートに関するこうした手抜き工事は、明らかに問題である。では、どのような点が問題であるかを明確にしてみよう。そして、どのような代案を出すべきだろうか。

手抜き工事が横行していた背景には、1960年代からの高度経済成長がある。この原発の建設当時、国内の「列島改造」ブームで、原発建設が相次ぎ、地元の土木建設業界は空前の活況に沸いていた。工事ラッシュにともなって建設現場の下請けと分業化が急激に進んだ。

生コンは生コン会社が供給し、ポンプ車で生コンを型枠に押し流すのは圧送業者の作業員である。また、配管の先で鉄筋の周囲に生コンが行き渡るようにするのは別の下請け業者の作業員である。運転手やポンプ車の作業員の多くは出来高払いで、作業の効率化を強いられる。経済性が重視されるあまり、コンクリートの耐久性と強度が犠牲になった背景にはこういう事情がある。

生コンクリートへの余分な加水のような手抜きや不正は、美浜原発３号機だけでなく、予想されるとおり、他の建設現場でも行われている。コンクリート構造物は本来200年の耐久性をもつと言われているが、1980年代以降、コンクリート構造物のさまざまな欠陥が指摘され続け、コンクリート崩壊の危機さえささやかれている。

しかしながら、その代案として、「絶対に生コンに加水してはならない」という原則を立てるべきであろうか。技術者がそのような判断を下すとしたら、それは現実的ではない。適切な加水が行われなければ、生コンの流動性がなくなり、生コンの型枠への流し込みがストップしてしまう。コンクリートの安全性と工事の効率性（ひいては経済性）とは、トレードオフの関係にある。生コンの強度を求める数式では、ミキサー車１台あたり約100リットル前後の加水で、設計基準強度を下回る可能性がでてくる。したがって、「生コンへの加水は必要だが、しかし、設計基準強度を下回らないのはもちろんのこと、できるだけ生コンの強度を高めるよう努力しなければならない」というのが、妥当な判断であろう。◆1

◆1
羽地亮「工学倫理はペイするか――美浜原発３号機のコンクリート大量加水事件をめぐって」『PROSPECTUS』No.３、京都大学文学部哲学研究室紀要（2000）。

07-2 欠陥住宅

施工管理

技術者は個人のモラルを高めるとともに、技術者全体の倫理の向上に努めるべきである。

Nさんは、木造三階建ての建て売り一戸建て住宅を購入した。入居して寝室のフローリングに布団を敷いて寝てみると、布団がびっしょり濡れていた。寝室の下は駐車場になっているのだが、床下に断熱材が入っておらず大量の結露が生じていたのだ。しばらくたつと二、三階部分の床が下がりはじめた。幅木（床に接する壁の底辺の木）と床面の差が約１㎝に広がった。売り主に苦情を訴えたがなかなかとりあってもらえず、半年以上たってやっと補修工事がはじまった。作業のため一階の天井をはがすと、天井を走る太い梁の中央部に亀裂が入って、ほとんど折れている状態だった。Ｎさんが心配になって家全体を見直してみると、屋根裏では、梁をとめるボルトがゆるんでいた。また強度を高める筋交いも少なく、三階建て住宅には必要な柱と基礎コンクリートをつなぐ補強金物も入っていないなど、手抜きが随所にあった。法的手段に訴えることも考えたが、裁判では数年かかり、その間、家をこのままの状態にしておかなければならなくなるため、結局、示談を選んだ。折れた梁の補強工事、外壁をはがしての工事など家中が粉塵で汚された。その間、建築について勉強したＮさん自身が三週間も現場監督をしたり、朝からの工事で仕事ができなかったりと、仕事や日常生活でＮさん一家は大きな影響を受けた。

こうした欠陥住宅は特殊な例ではない。今、全国で、家の傾き、揺れ、雨漏り等の欠陥に大勢の人が悩んでいる。事前の調査や建築途中での確認を怠るなど消費者の側にも問題はあるものの、実際問題、常時現場を見張ることはできず、多少知識があっても、手抜きを簡単に見抜けるわけではない。それにＮさんのように建て売り住宅の場合は購入時に内部の具合を見ることはできない。他の商品と違い、住宅に欠陥があった場合、消費者は生活そのものを犠牲にして対処しなければならない。消費者の立場はきわめて弱く、国土交通省や地方自治体などでは解決が難しい。そうなると、裁判を起こすしかないが、それには膨大な時間と労力を費やし、精神的に追い詰められることも多い。

★事例の出典：川井龍介『これでも終の住処を買いますか』新潮 OH! 文庫（2000）114-124 頁

POINT 技術者のモラルと技術者全体の倫理・企業倫理。

欠陥住宅はなぜ生まれるのか。以前は、顔見知りの地元の棟梁に直接注文をしていた。消費者も建物に対して知識があり、業者も地元で悪評が立つと注文がこなくなるので、手抜きはできなかった。高度経済成長期に大量の住宅需要が発生し、住宅会社が生まれ、業者はその下請けとなり遠隔地の工事も行うようになった。業者にとって直接の顧客は住宅会社であり、消費者は疎遠な存在となり、評判を気にする必要もなくなった。住宅会社は大半の工事を下請けに回すが、そこが別の下請けに任せることもある。当然ながら2次、3次下請けでは、より利益が少ない◆1。1件の工事の利益が少ないと数をこなすため早く仕上げようと手を抜く業者もでてくる。また、建築士によるチェック（監理）が義務づけられているが、その建築士がその会社の従業員である場合、会社の手抜きを報告しにくい。独立した建築士でも、継続的に業務依頼を受ける等で、会社と依存した関係にあるケースや、名前だけ貸して実際の仕事はほとんどしない名義貸しなど、監理が形骸化している。

◆1
住宅会社が顧客から受け取る代金を100とすると、1次下請けは70%程度、2次下請けは50～60%、3次下請けは30～50%。住宅業界の重層的な下請け構造が手抜き工事を生みやすくしている、といわれる。

しかし、2000年から新たな法律[2]が施行され、家を新築して10年以内の基本構造の欠陥は業者は無料で修理しないといけなくなった。また、今まではトラブルがあっても新規の顧客が獲得できたが住宅市場が縮小する中で、消費者の目は厳しくなる。欠陥住宅の報道も増え、悪評の影響もインターネットの普及等によって無視できず、信用の失墜は会社にとって大きな損害となる。手抜きをして欠陥が生じれば、高くつくことになる。倫理的な行動は、企業にとってもプラスに働くのである☞。監理の形骸化に関しても、技術者個人のモラルだけでなく、建築士全体の倫理の問題でもある。「住宅」が人々の生活に与える影響は甚大である。技術者は専門技術者としての責任の重さを強く自覚し、米国のインスペクター制度[3]のように有効なチェック制度を作ることも必要である。建築に関わる技術者への人々の信頼を得るために、技術者集団全体の倫理の向上にも目を向ける必要がある[4]。

◆2
「住宅の品質確保の促進等に関する法律」2000年4月施行
法律の柱は①新築住宅の基本構造部分（基礎・土台・柱・壁・屋根など）の「10年間保証（業者の無料修理）」の義務付け②住宅の品質を評価する基準となる「住宅性能表示」制度（建設省が全国一律の客観的基準を定め第三者機関が評価書を発行）の導入の二つ。

☞ 基礎知識04-a
「企業の倫理」

◆3
【インスペクター（検査官）制度】
検査官（州・市の職員や民間の登録業者）による工事途中の6～8回程度の立ち入り検査を義務づけ、工事が進めば見えなくなる部分は、工事を中断して行う。検査官が承認して書類に署名しない限り、工事を次の段階に進められない。検査官は問題箇所の工事のやり直しを命じることができる。

◆4
http://www.bun.kyoto-u.ac.jp/phil/index.html

(1)「欠陥住宅を問う①～③」『日経ビジネス』日経BP社（1998年9月7、14、21日号）
(2) 欠陥住宅を正す会 澤田和也・鳥巣次郎・村岡信爾『誰にでもできる欠陥住宅の見分け方［第3版］』民事法研究会（2000）
(3) NHK「クローズアップ現代」制作班編『クローズアップ現代 VOL.1』NHK出版（2000）
(4) 鈴木啓允『「建設倫理考」技術者社会の崩落』日刊建設工業新聞社（2000）

08-1 雪印乳業集団食中毒事件

工程管理

今の工場では従業員は設備の管理ができればよい、とも言われるが……。

それまで被害者に「『低脂肪乳』以外は大丈夫」と説明してきた雪印社員は呆然とした。他の２品目も回収対象に加えられた、とのニュースが耳に入ったのだ。さらに、「保健所の立ち入り検査で、２品目の汚染を工場側が隠しきれなくなって報告したらしい」との続報……。被害者対策にあたっている社員にも、必要な情報は流れていなかった。会社は当初「低脂肪乳の製造ラインは他と重なっていない」と説明していたが、実は他の２品目も同じ配管を使って製造していた。製造工程についての会社側の説明は二転三転した。

約１万3000人の被害者を出した2000年の雪印乳業食中毒事件では、企業のさまざまな不手際や杜撰な衛生管理がメディアによって報道された。

食中毒が判明したのは６月27日昼前。翌日には大阪市が工場に立ち入り調査をし製品回収や事実の公表を指導した。しかし、雪印乳業が食中毒の発生と低脂肪乳の回収を発表したのは２日以上たった29日夜だった。さらに、他２品目の回収が始まったのはさらに５日後の７月４日だった。

まず明らかになったのは、大阪工場での衛生管理の杜撰さであった。工場は、品質保持期限をチェックせずに返品を再利用し、冷蔵庫ではなく屋外で調合作業を行っていた。また、マニュアルは形骸化し、製造工程の洗浄は定期的には行われていなかった。

しかし毒素が発見されたのは、大阪工場の製造ラインからではなく、4月に北海道の大樹工場で製造された原料の脱脂粉乳からだった。

大樹工場で3月に起きた停電事故の際、貯蔵タンクが冷却されずに放置され、4月1日製造の脱脂粉乳から厚生省令を大きく上回る細菌が検出された。現場には、黄色ブドウ球菌から毒素が発生するという認識がなく、殺菌すれば大丈夫だと工場は判断した（しかし、毒素は加熱しても毒性を失わない）。支社も廃棄などを指示しなかった。こうして、毒素に汚染された脱脂粉乳が出荷・再利用されることとなった。

この事件の被害者は、1万3420人にのぼる。雪印乳業の牛乳製造部門は2003年、新会社として再出発した。

★事例の出典：新聞報道などによる

POINT

設備の中を流れる原料・製品の管理が本質であることを忘れてはならない。

企業は、プラスアルファの部分で他社との差別化を図り消費者の満足を高めるような製品・サービスを提供しなければならない[◆1]。だからこそ、基礎となる「品質」は絶対条件であって、決してないがしろにはできない。

◆1
品質管理という活動は、単に不良品を作らないということだけでなく、消費者の要求を把握しそれに応えるよう、営業や設計、製造など企業における仕事全体が密接に結びついた活動である(TQC、TQM)。

品質管理における人的要因

現在の多くの工場では、機械の入り口に原料を入れれば、パック詰めの製品が出来上がる。そのため、設備の管理に多くの注意が払われることになってしまう可能性がある。

その結果、製造工程の意味合いを知らない、機械の中を流れているのが食品だという意識が薄れる、衛生管理についての知識が少なくなる、といった問題が生じてしまう。

大阪工場も大樹工場も、HACCPによって衛生管理は大丈夫、なはずであった[◆2]。しかし、返品を再利用したり洗浄を怠ったりといった行動や、毒素についての知識の欠如といった人的要因によって、HACCPシステムの意義は失われてしまった。

◆2
大阪工場がHACCPの認可を受ける際、提出する資料が膨大にならないよう、この事件で毒素が検出されたバルブや貯蔵タンクを図面から意図的に外していた。

経済産業省による2003年の調査では、産業事故のうち、設備的要因によるものは

18%に過ぎず、76%は人的要因によるものであるという。そして、技術や技能が中堅・若手労働者に伝えられていないことが事故発生の大きな要因であるとされている。

作業の標準化

この事件では、記録の不備が原因究明を遅らせるひとつの原因となった。きちんと記録を残すという作業ルールの標準化が不十分であったといえる。また、規格外品を処分する手順も決まっていなかった。

標準化とは、設備などのハードと、作業方法や報告の仕方などのソフト[◆3]の両面について、多様性を減らして単純化を行うことである。品質の維持には欠かせないものだ。

組織のあり方

事件当時、被害者対策にあたる営業担当者には、工場で起こったことについての十分な説明がなされていなかった。また、社長が事件を知ったのは、すでに自主回収が始められていた6月29日のことであった。過去の教訓を忘れない体制作りも重要である[◆4]。

◆3
作業の標準化に際しては、具体的な作業方法とともに、作業の目的・意味（なぜその作業が必要か、その作業を行わないとどんな問題が起こり得るか）を明確にする必要がある。

◆4
雪印は、1955年の八雲工場脱脂粉乳食中毒事件の教訓を活かすことができなかった。
2007年1月、不二家が、シュークリームを製造する際に、社内規定の使用期限が切れた牛乳を使用していたことが報じられた（その後もさまざまな杜撰な食品衛生管理が明らかになった）。工場の不衛生問題についてはすでに2006年に調査によって判明していた。この件に関する報告書の中に「マスコミに知られたら雪印乳業（雪印集団食中毒事件）の二の舞になることは避けられない」という表現があったとされる。この文言は、外部コンサルタント会社が危機意識を喚起する意図で使った表現だったとも、隠蔽を指示するものであったともいわれる。

・産経新聞取材班『ブランドはなぜ墜ちたか　雪印、そごう、三菱自動車　事件の深層』角川書店（2001）
・『工場管理　Vol.50 No.4』日刊工業新聞社（2004年3月）
・谷津進『品質管理の実際』日経文庫（1995）
・野口博司『おはなし生産管理』日本規格協会（2002）
・『雪印乳業　会社案内　2004』
・雪印乳業・コンプライアンス部『雪印乳業行動基準』

08-2 JCO臨界事故

工程管理

工程管理は、作業開始以前から始まっている。

1999年9月30日午前、茨城県東海村にあるJCO東海事業所の転換試験棟で、原子力燃料の製造作業中にウラン溶液が臨界反応を引き起こした。臨界は翌朝まで続き、その間に作業員3人（うち2人が死亡）を含むJCO職員、周辺住民等、計660人以上が被曝した。周辺350メートル圏内の39世帯に退避勧告が出され、10キロメートル圏内には屋内退避勧告が出されたが、その対象は31万人に及んだ。また、この事故で国の原子力行政は多大な影響をこうむった。そして、JCOは事業許可が取り消され、その後廃業を余儀なくされた。

臨界を引き起こしたウランは、高速実験炉「常陽」に使用する中濃縮ウラン溶液であった。これは、低濃縮ウランやウラン粉末に比べて、臨界に達しやすいものであるため、製造設備や作業工程は、それを予防するための対策を施したものとして1984年に認可されたものであった。すなわち、一箇所に大量のウランが集まらないよう、細長い形状をした容器を使用し（形状管理あるいは形状制限）、さらに一回の作業工程での取扱量を臨界に達しない量（＝1バッチ、ウランでは2.4キログラム）に制限（1バッチ縛りあるいは質量制限）することになっていた。しかし、実際の作業現場では、製造開始当初から、精製したウラン粉末を硝酸溶液に溶解させる作業最終段階において、これらの制限からの逸脱が、繰り返し、しかも段階的に行われていった。特に、1995年には、「バケツ」と呼ばれるステンレス容器を使用してウラン粉末を溶解し、形状制限された容器に一度に7バッチ分の溶液を投入して納入する製品全体の品質を均一化させる工程が、監督官庁に申請しないまま、JCO内部の安全専門委員会で承認され、「裏マニュアル」として認定されていた。この時点では、質量制限から逸脱していたが、形状制限がいまだ有効であったために、臨界には至らずにすんでいた。だが、1999年の事故当日、臨界に関する教育を十分に受けていない新たな作業員が、均一化の作業のために「裏マニュアル」からも逸脱した容器に7バッチ分の溶液を投入した。この容器は、形状管理を外れたものであったため、臨界予防の対策のいずれからも逸脱してしまい、臨界という事態に至ってしまったのである。

★事例の出典：岡本浩一『無責任の構造　モラル・ハザードへの知的戦略』PHP新書（2001）、原子力資料情報室『臨界事故　隠されてきた深層』岩波ブックレット（2004）

POINT

工程の適切な決定がなければ、工程管理はいずれは破綻すると考えるべきである。

なぜJCOにおいて、違法な工程変更が繰り返されたのか。その背景的要因としては、核兵器拡散防止に関わる米国の要求、核燃料サイクル事業を巡る混乱とそれに伴う受注内容および納期の混乱、電力自由化に起因する経営悪化と大幅なリストラ等、かなり複雑で広範囲に及ぶものを挙げることができる。

これに対して、工程管理という観点からは、次のような事情が挙げられる。事故を起こした作業工程は、元来は12%濃縮ウランの精製粉末を製造するものとして認可されたものであった。したがって、そこで使用されている機材も、その元来の目的のための使用を前提としたものであった。その後JCOは、受注先である旧動燃の要請に応じ、この設備で濃縮度20%のウランを溶液の形で製造することとし、粉末を溶解する工程を追加して変更申請をし、審査を受けた上で許可された。しかし、この変更過程には次の二つの問題があった。第一に、認可された溶解の手順では、粉末精製の過程で使用する容器を転用することになっていた。しかしこの容器は、製品としての溶液を製造するには、非効率的で作業勝手も悪いものであった。したがって、作業日程がきつくなると、正規の手順を遵守することが困難であった。安全審査は、このような状況を見越した上で行われなかったし、そもそもJCO自身、より効率的な設備を準備することに消極的であった。第二に、溶液製造には、精製粉末の溶解以外に、7バッチ分の溶液の品質を均一化させる工程が含まれていたのに、そのことが申請内容に含まれていなかった。つまり、この工程に関しては、認可された正式な手順は存在しなかったのである。そして、この工程において、臨界事故は発生した。ここにはさらに、次のような事態が関わってくる。JCOではもともと「臨界管理主任者」が設置されていた。しかし旧科技庁の指導で、「安全管理統括者」に吸収されることになり、それによって臨界管理に対する責任の所在が明確でなくなっていた。このような状況の下、冒頭の要因によって作業日程に圧力がかかる中、現場の作業員による作業効率化のための一連の「改善」活動が迷走し、ついには臨界を防ぐ歯止めがすべて取り払われることになったのである。◆1

◆1
この点に関しては、集団思考が意思決定に及ぼす影響も考えに入れる必要があるかもしれない。
☞基礎知識07「倫理概念について知るべきこと」、工学倫理の技法

09-1 エキスポランド・ジェットコースター事故

維持管理

厳しい経営環境のもとで安全を確保するためにはどうすればよいか？

2007年5月5日午後0時50分ごろ、万博記念公園内の遊園地「エキスポランド」で、立ち乗り式ジェットコースター「風神雷神Ⅱ」が脱線し、乗客1人が死亡、19人が重軽傷を負う事故が起こった。コースターは1両4人乗りの6両編成。走行中、2両目車両の左側車輪ユニットが突然脱落した。各車輪ユニットには5つの車輪があり、それによって上下と外側の三方からレールを挟み込む状態で走行する。支えを失った車両は左に大きく傾き、左側前列にいた乗客が点検用通路の手すりに頭を強く打ち即死。左側後列の乗客が重傷を負った。

車輪ユニットは車軸によってフレームに取り付けられていた。車軸はなぜ折れたのだろうか。ナットの根元で繰り返し力がかかって亀裂が広がる金属疲労が原因であった。

このような原因による事故を防ぐため、国はJIS（日本工業規格）の基準に沿って年に1回は車軸の部分を詳細に点検するよう定めている。それは探傷試験と呼ばれるもので、部品を解体し超音波などを使って目に見えない小さな亀裂を探していく検査法である。エキスポランドでも例年は1月から2月にこの検査を行っていたという。ところがこの年は1月30日に目視による定期検査は行ったものの、探傷試験は延期して期限内に行っていなかった。客足が伸び悩むなか、エキスポランドではこの年のはじめ巨大迷路など新たに３つのアトラクションの建設を進めていた。そのため、本来ならばジェットコースターの解体検査が行われる車庫は資材置き場にされ、使えなくなっていた。検査は大型連休が明ける５月半ばに先送りされた。

問題はそれだけではなかった。事故が起こる６年前まで技術課長をしていた人物の証言によると、当時ジェットコースターの探傷試験を担当していた社員は２人だけであり、しかもほかの仕事と掛け持ちになることが多かった。そのため、一生懸命やってはいたが、注意力が落ちたり、ほかの作業に振り回されることもあったという。

さらにもう一つの問題点は、車軸の交換が導入以来15年間一度も行われていなかったことである。メーカーの関連会社で保守点検を行っていた会社が作成した資料には、車軸部分は不均等な力がかかり突然疲労破壊が起こることもあるため、８年で交換するようにと記載されていた。しかし、エキスポランドは検査を社内だけで行っていたため、メーカー側に問い合わせることもなく交換期限も知らなかった。

★事例の出典：NHKクローズアップ現代「スリルとスピードの陰で～検証・ジェットコースター死亡事故～」(2007年5月14日放送)、飯野謙次「失敗年鑑2007　エキスポランド、ジェットコースター事故」(http://www.shippai.org/shippai/html/index.php?name=nenkan2007_01_Expoland)

POINT

安全軽視のずさんな検査体制、形骸化した報告制度、専門知識を欠いた検査員。大事故の背景にはこのような問題があった。

エキスポランドの安全管理がここまで疎かになった背景には、厳しい経営環境があった。全国の遊園地は少子化などで厳しい経営を迫られている。エキスポランドの場合、ユニバーサル・スタジオ・ジャパンが2001年にオープンしたことの影響もあり、10年間で入園者数は半減していた。より多くの客を呼び込むためには新しいアトラクションを次々に登場させる必要がある。このような事情から、探傷試験は先送りされ、目視だけで吹田市に「指摘なし又は良好」と報告していた。

エキスポランドのこのようなやり方をチェックするしくみはなかったのだろうか。法律では、検査結果は地元自治体に報告することになっている[◆1]。しかし、専門家のいない自治体では通常、書類上の不備の有無を確認するだけで検査内容を問いただすことはないという。この事故の後、国土交通省が全国のコースター型遊具306基の点検状況を調べたところ、4割近い119基で、JIS[◆2]（日本工業規格）で定められた年1回以上の車軸の探傷試験を

◆1
建築基準法12条3項、建築基準法施行規則6条

◆2
「日本工業規格　遊戯施設の検査標準　JIS A 1701」では次のように定められている。
5.6.3　c）車輪軸は、き裂及び甚だしい摩耗がないこととする。d）車輪軸は、一年に一回以上の探傷試験を行うこととする。
4.4　探傷試験には、磁粉探傷機、超音波探傷機又は探傷試験用浸透液を用いる。

行っていないことがわかった。国はこうした状況を長年放置し、積極的な安全管理の制度作りを行ってこなかった。安全確保の努力は設置者・管理者にすべてゆだねられてきたのである。

その上、日本ではジェットコースターについての専門性と高い検査技術を持った技術者が不足しているという指摘がある。[◆3] 今のジェットコースターはどんどんスピードも速くなっているし、動きも複雑になっている。そのような特殊な乗り物をきちんと検査できる技術者を育成し、もしずさんな検査報告があがってきてもそれを見抜く力を持った者を各自治体に配置することも重要な課題である。

経営よりも安全が優先されるべきことは言うまでもない。しかし、遊園地まかせの検査では、安全対策の水準が遊園地の経営状況に左右されるおそれがある。安全確保をより確実に達成するためには、行政等のバックアップが必要なのではないかと思われる。

◆3
日本ではジェットコースターの検査は「昇降機検査資格者」が行うことが多い。これはエレベーター等の検査員が取得する資格である。エレベーターとジェットコースターを比較した場合、設置台数はエレベーターのほうが圧倒的に多い。それゆえ、資格取得に必要な専門知識も大半がエレベーターに関するものだった。

09-2 東京電力 トラブル隠し

維持管理

維持管理　機器に軽微なキズが見つかっても、安全性に問題がなければ記録や報告は不要という判断は適切だろうか？

2002年8月29日、経済産業省・資源エネルギー庁に属する原子力安全・保安院は、「原子力発電所における事業者の自主点検作業記録に係る不正等に関する調査について」という資料を公表した。そこには、東京電力の3つの原子力発電所（福島第一・第二原発、柏崎刈羽原発）が1980年代後半から90年代にかけて実施した自主点検作業の記録において、機器のひび割れなどについて不正な記載があることが報告されていた。調査のきっかけは、2000年7月に通商産業省（当時）に届いた内部告発文書だった。告発者は、GEの子会社の元社員で、GEが製造に関与した福島第一原発などで自主点検を担当していた。

保安院が告発内容を調査するなかで29件の不正が明らかになった。問題とされたのはシュラウド（炉心隔壁）、ドライヤ（蒸気乾燥器）、ジェットポンプ（冷却水を炉心に供給する装置）など7つの機器に関してで、ひび割れの存在やその兆候の検査結果や修理記録が改ざん・隠蔽されていた。

記録の改ざん・隠蔽は東京電力の社員の指示によるもので、告発者によれば、修正液を使って書き直したり、報告用のビデオテープからひび割れの映像を消したりしたこともあったという。

なお、こうした不正は組織的かつ恒常的なものであった。たとえば、福島第一原発一号炉では、1986年にシュラウドヘッドボルトにひび割れが発見されたが東京電力は国に報告せず、1988年に再び見つかったときにも報告せずに交換していた。1993年にはシュラウドにひび割れが発見され、1995年と1996年にも別の箇所で見つかったがそれらもまた隠蔽した。ひび割れの存在は一切報告されないまま2001年に「予防保全」という理由で交換された。隠ぺいを繰り返し、「予防保全」という虚偽の理由で交換を行う。東京電力はこのような方法で不正を重ねてきた。[1)]

この事件は、電力会社や国の言う「安全文化」に対する信頼を大きく揺るがした。その結果、国が進めようとしていたプルサーマル計画の凍結をもたらすなど、わが国の原子力政策にも大きな打撃を与えた。

---

1) こうした実態を知り、当時の福島県知事は、「結局、国の言う安全文化というのは専門家や技術者から見た安全文化にすぎず、立地地域の住民、あるいは一般国民の考える安全文化とはかけ離れている」と語る。

★事例の出典：原子力資料情報室『検証　東電原発トラブル隠し』岩波書店、2002年。NHK「クローズアップ現代」制作班編『クローズアップ現代2002』NHK出版、2002年。杉本泰治『経営と技術のための企業倫理――考え方と事例』丸善株式会社、2005年。原子力安全・保安院「原子力発電所における自主点検作業記録の不正等の問題についての中間報告」(2002年10月1日)

POINT 法令違反と隠蔽を繰り返す企業が公衆の信頼を得ることはできない。

なぜ東京電力はトラブル隠しを行ったのだろうか。東京電力が行った調査報告によれば、その動機の一つは、発電所の停止期間をできる限り短くするためであった[◆1]。点検・補修に携わる保修部門の社員は、スケジュール通りに点検を終わらせることに強い責任を感じていた。国へトラブル報告を行うと、発電所の停止期間が予定より長くなるおそれがある。それゆえ、「安全性に問題がなければ、報告しなくてもよいのではないか」という誤った考えが保修部門全体に広がっていた。

さらに、国への報告の要否を判断するための基準が不明確であったことも、誤った考えが蔓延する原因となった。原子力発電所の設計・建設における技術基準として告示501号がある[◆2]。この告示は設計・建設における技術基準としてばかりではなく、運転開始後の検査における技術基準としても適用されてきた。つまりこれは、運転開始後も設備をつねに建設時の「新品同様」の状態に維持することを要求するものである。しかし常識的に考えれば、どのような機器であれ運転開始とと

◆1 東京電力株式会社「当社原子力発電所の点検・補修作業に係るGE社指摘事項に関する調査報告」(2002年9月)

◆2 原子力設備の維持は電気事業法39条(事業用電気工作物の維持)と54条(定期検査)に基づいて行われ、39条では、省令62号(発電用原子力設備の技術基準)と告示501号(発電用原子力設備の構造等の技術基準)に適合するよう規定している。

もに劣化は始まる。そうであるならば、将来のひび割れの状態を予測・監視しながら、安全性に問題がなければ運転を継続することが許されるはずである。ところがわが国ではそれが認められず、補修または取り替えが原則とされてきた。そのため保修部門では、ひび割れかどうか判らない徴候であっても、基準違反を指摘されることをおそれ、検査記録や修理記録にその存在を記載したくないとの心理が働いた。

原子力設備の運転開始以降にその維持のために適用する技術基準を維持基準という[◆3]。わが国では1997年に日本機械学会が策定作業に着手し、その作業のさなかにトラブル隠しが発覚した。たしかにそのような事情があったにせよ、技術基準が非現実的なものであることを理由に長い間法令違反を繰り返し、それを隠蔽してきた東京電力には、安全性を最優先する姿勢は見られない。トラブル隠しを告発したGE子会社の元社員もそこに強い危機感を抱いたのではないだろうか。

◆3
「維持基準」については、インターネット版『原子力百科事典ATOMICA』において「日本における原子力発電設備の維持基準」というタイトルで詳しく解説されている。

10-1 楽天モバイルへの機密漏洩事件

機密漏洩と特許訴訟

前の職場で知り得た情報は機密情報に当たる場合がある。うかつに持ち出してはいけない。

大手三社による寡占状態だった携帯市場に風穴を開けるべく、楽天モバイルは「第４のキャリア」をめざして準備を進めていた。「キャリア」とは自社通信回線をもつ事業者のことをいう。そのためには電波を中継する基地局を全国に張り巡らせるという大規模なインフラ構築が必要だが、進捗は遅れていた。2017年に事業参入を発表し、２年後の10月にサービスが開始されるはずだったが、予告された日には狭いエリアでの試験的サービス開始にとどまった。遅れを取りもどそうと楽天の他部門の社員も動員される中、インフラ構築に豊富な経験を持った社員が、ライバルのソフトバンクから転職してきた。

彼は楽天の苦境を意識していたことだろう。2020年元日付の転職にあたって、そのひと月前から本人の社用PCと社内サーバーから、業務書類を少しずつ自分の私用メール宛に送信して、社外に持ち出しはじめた。中には全国のインフラ施設の設置状況や利用状況の詳細情報など、機密情報と思われるものもあった。彼は転職先で自分の有能性や存在意義をアピールするために、これを「手土産」にしようとしたようだ。

だが情報持ち出しの痕跡は彼のPCやサーバーへのアクセス記録に残っていて、ソフトバンクは早くもその年の2月には事態を把握していた。元社員は転職先で自身の存在意義を発揮する暇もなく、2021年1月、不正競争防止法違反で逮捕され、翌年12月に懲役2年と罰金100万円の有罪が言い渡されることになった（ただし執行猶予4年）。

ソフトバンクは元社員の刑事罰だけではおさまらず、さらに元社員と楽天モバイルに1000億円もの損害賠償請求を行って耳目を集めた。裁判はまだ決着していない（2023年5月現在）が、機密情報の財産的価値は、場合によって莫大なものになりうる。

★事例の出典：『「転職先にアピールしたかった」……5G情報持ち出し、善悪は「深く考えなかった」』読売新聞オンライン、2021年1月30日。
https://www.yomiuri.co.jp/national/20210130-OYT1T50047/
『ソフトバンク「1000億円」訴訟』弁護士ドットコムニュース、2022年5月11日。https://www.bengo4.com/c_18/n_14451/

POINT 仕事上の情報はすべて会社の財産であると心得よう。社員は会社の財産を守る義務がある。

転職にあたって業務情報をいわば「手土産」として持ち出していくことは、悪意がなかったとしても犯罪行為となり得る。元の会社に対しては財産の直接的侵害であり、転職先の会社に対しても損害賠償責任を背負わせることになる。

機密情報など社内情報の持ち出しを条件に、高報酬での転職を約束する悪意ある企業もある。「技術相談」を装って近づき、巧みに機密情報を聞き出すという手口も広がっているという[◆1]。会社とは、もともとライバル会社と営利の主導権をめぐって競争するものだが、不正な手段を用いて悪意をもってライバル会社を出し抜こうという企業もある。これを犯罪として規制するのが「不正競争防止法」で、いわゆる機密情報（「営業秘密」）を次の3点で定義して、法的保護の対象としている。⑴「秘密として管理されている」（秘密管理性）、⑵「事業活動に有用な技術または情報」（有用性）、⑶「公然と知られていない」（非公知性[◆2]）。

転職先企業が機密情報の持ち出しを指示す

◆1
例えば、2020年の積水化学社員の機密漏洩事件。「積水化学元社員が情報漏洩疑い」日本経済新聞、2020年10月13日。https://www.nikkei.com/article/DGXMZO64966730T11C20A0AC8000/

◆2
不正競争防止法第2条第6項

ることはもちろん犯罪であるが、社員が自発的に持ち込んだのであっても、それが法的保護の対象である機密情報であることを知りつつ、企業がその情報を利用し続けることも重大な不正行為となる。[◆3]こういう不正行為の誘いに乗るべきでないのはもちろん、求められてもいないのに機密情報を持ち込めば、持ち込み先の企業に結果的に多大な迷惑をかける事になる。

機密情報として法的保護の対象になるには「秘密として管理されている」ことが必要だが、近年これは広く解釈されるようになっている。[◆4]例えば、営業業務のため自分の手帳に書き出して持ち歩いていた場合であっても「営業秘密」と認められた判例もある。[◆5]また、これまでの業務で培われたスキルやノウハウも、すでに社によってマニュアル化され共有財産として管理されているかもしれない。[◆6]自分が開発した製品や技術であっても、その本来の所有者は自分ではなく会社であることを間違えないようにしよう。[◆7]

◆3
不正競争防止法第2条定義の6（◆2であげた「第6項」とは異なるので注意）

◆4
経済産業省による「営業秘密管理指針」は、秘密管理というために必ずしも厳格で網羅的である必要はないと注意している（5頁参照）。
https://www.meti.go.jp/policy/economy/chizai/chiteki/guideline/h31ts.pdf

◆5
知財高等裁判所判決、平成24年7月4日。

◆6
会社から派遣されて参加した研修会で習得した社員のノウハウが、会社の財産として認められた判例もある。大阪地方裁判所、平成10年12月22日。

◆7
研究者においても同様であって、研究機関に所属して行った研究データは自分のものでなく、研究機関のものである。
☞ 事例分析06-1「遺伝子スパイ事件」

10-2 ロバート・カーンズのワイパー特許訴訟

機密漏洩と特許訴訟

発明家の夢か、企業の悪夢か

雨が降り出したのでワイパーを作動させたロバート・カーンズは、ワイパーが視界を遮って車を運転しづらいのが気になっていた。1962年当時の自動車のワイパーは、メトロノームの針のように、一定の速さで行きつ戻りつするものだった。雨の強さに応じて振りのスピードの強弱の切り替えはできたが、小雨でも視界の邪魔なった。

カーンズはアメリカ自動車産業の中心地だったデトロイトで育った一攫千金を夢見る個人発明家だった。雨の日の運転で感じた不安をきっかけに、カーンズは考えた。まばたきが視界の邪魔にはならないのはなぜか。まばたきは同じ速さで繰り返されるのでなく、一周期ごとに一定時間休んでいる。つまり「間欠的」に動いている。ワイパーにも同じ動作をさせればどうか。

カーンズはただちにこのアイデアの実現に取り掛かり、機械的機構と電子回路に工夫を凝らして間欠リズムを実現させた。試作品を完成させたカーンズは、それを愛車に取り付け、雨が降るたび動作試験を繰り返した。視界の邪魔にならないだけでなく、実際に雨に打たれているフロントガラスをうまくぬぐえるものにすべく、カーンズは調整を重ね、1967年には特許を取得した。

カーンズは納得のいった試作品をフォードに持ち込んだが、フォードはそれを受け入れず、カーンズの特許を無視したが、独自開発の間欠ワイパーを自車に導入しはじめた。これがやがて業界標準となり、他社にも普及していった。カーンズには特許収入はいっさい入らなかった。

カーンズはフォードに抗議したが聞き入れられず、1978 年にフォード、1982 年にはクライスラーを訴えた。長引く裁判にカーンズは経済的にも精神的にも苦しんだが、妥協的な和解に応じることなく最後まで戦った。そしてついに 1990 年にフォードから 1000 万ドルの和解金、1995 年にクライスラーから 3000 万ドルの補償金を得ることに成功した。「まばたきのワイパー」着想から 50 年がたっていた。

★事例の出典：J. Seabrook, *Flash Of Genius: And Other True Stories Of Invention*, 2008, Griffin, New York（初出は New Yorker 誌、1993. Jan. 11）.

POINT 個人発明家のクレームは企業にとっては脅威だが、正当な特許を無視していいはずもない

車輪や印刷機や蒸気機関だけでなく、特許という制度そのものが大発明だとリンカーンは述べている。それは「天才の炎に利益という油を注ぐものである」のだと[1]。特許制度があるからこそ無名の個人発明家が努力を継続できる。そこから思いがけない技術進展も起こりうる。一攫千金をなしとげたカーンズは、個人発明家にとっては英雄である[2]。

他方、企業にとっては、ある日突然現れて既存の製品の特許権を主張する個人発明家は、悪夢でしかない。意図的に適用範囲のあいまいな特許を取得しておくという悪意ある発明家もいる。使われないまま埋もれている特許を買い集めて、特許侵害のクレームを次々つけていくという戦略を組織的に行う企業もある。「パテント・トロール」と呼ばれ、日本のメーカーもこの手法でよく狙われてきた[3]。

カーンズのワイパー特許を無視したフォードにとって、カーンズはまさしく悪夢の個人発明家であり、クレーマーであった。当時フ

◆1
大統領になる前の1859の講演『発見と発明』。なお、リンカーンは自身も特許を取得した大統領としても有名。

◆2
同様のケースとして、Apple社から3億円の特許侵害賠償金を勝ち取った日本人発明家もいる。新井信昭『iPod特許侵害訴訟』日本経済新聞社、2018年を参照。

◆3
画像圧縮技術の基本特許を主張する米企業にソニーと三洋電機がそれぞれ1500万ドルの特許使用料支払いに合意した事例が有名（2002年）。

ォードは独自のワイパーをさまざまに開発中であり、その中には間欠リズムを試みたものもあったという。カーンズはコンデンサと抵抗のいわゆるRC回路で間欠リズムを作ったのだが、その回路はすでよく知られており、その応用が特許に値する技術であるとは、フォードのエンジニアには思えなかったという。[◆4]特許には「これまで世になかった技術であること」つまり「新規性」が求められるのである。

とはいえカーンズは、「ただ思いついただけ」でなく、その機構を工夫し、試作品を実現させ、使い物になる水準まで引き上げたうえで、メーカーに売り込んでいた。そのとき相手にされなかった自分の発明が、その後何年もして、あらゆるメーカーの自動車に搭載されるようになった。「発明家のプライド」を踏みにじられて、カーンズはついに訴訟に踏み切った。[◆5]あとになって「新規性がない」と言うのは簡単だが、あらゆるアイデアを出し合い競い合ってこその発明であり、特許である。個人発明家の夢は軽視されるべきでないだろう。

◆4
J. Seabrook, *Flash Of Genius: And Other True Stories Of Invention*, 2008, pp.12-13. Griffin, New York（初出はNew Yorker誌、1993. Jan. 11).

◆5
Seabrook前掲書, p.24.

11-1 ギルベイン・ゴールド

内部告発

複雑な葛藤状況に陥ったときは、複数の解決法を考え、望ましいものから順次試みることが大切だ。

コンピュータ部品製造会社Ｚコープ社は、産業廃棄物の鉛とヒ素を、ギルベイン市の下水道に放流していた。ギルベイン市は、下水の汚泥を肥料「ギルベイン・ゴールド」に加工する事業を手がけており、その肥料は地域の農場で使用されていた。市は、ギルベイン・ゴールドを、毒性物質による汚染から守るため、下水へ放流できる鉛やヒ素の量を厳しく規制していた。

Ｚコープ社の環境業務部に所属する若き技術者デヴィッドは、最近のテストによって、Ｚコープ社が規制値を超える量の毒性物質を下水に放流してしまっていることを知った。そして、会社は汚染管理設備にもっとお金を使うべきだと考えた。しかし、彼の直接の上司は、そのための費用は莫大なものになるだろうから、それはできないと主張した。

ここでデヴィッドは４つの責務をもっており、それが幾重にも衝突している。それゆえ、彼は次のように思い悩んだかもしれない。「⑴自分は被雇用者として会社の利益を増進し名声を高める責務をもっている。会社にとって無駄な費用をかけさせてはならないが、事態を放置して新聞沙汰になり会社の名誉を貶めることもしてはならないだろう。(2) また、自分の経歴を守り向上させる責務もある。会社の経営者が事態を放置するという理由から汚染の事実をマスコミに「内部告発」することもできるが、このことによって会社から報復として解雇されるようなことは避けるべきだろう。(3) さらに、市に対して正直かつ誠実である責務がある。しかし、現状でそうすれば、会社の名誉を確実に傷つけてしまうだろう。(4) 専門技術者として公衆の安全を守り健康を促進する責務もある。これによれば、明らかに現状を放置すべきでないが、会社には無駄な費用をかけさせるわけにはいかず、また内部告発等で自分が解雇されることも避けるべきだ」。

さて、彼には何ができるか。あなたの想像力をフルに活用して、複数の解決法を提出しなさい。

(「ギルベイン・ゴールド」は、架空の事例で、アメリカの工学倫理教育でよく用いられる非常に有名なビデオ作品である。)

★事例の出典：C・E・ハリス他（日本技術士会訳編）『第３版　科学技術者の倫理──その考え方と事例』丸善（2008／原著、2004）366 ～ 368 頁に基づく

POINT

複数の責務の間に立たされるという困難な状況。

⑴ デヴィッドは、まず、費用が膨大にならない技術を開発することができる。この場合、(1)会社に余計な費用をかけさせず、名誉も守ることができるし、(2)自分のキャリアアップにもつながり、(3)市の規制を守ることができるから市に正直であることもでき、(4)公衆の安全を守ることもできる。

⑵ 安価な技術を開発できない場合は、市に対する経営上の取引を会社に提案することもできる。浄化装置の開発にはやはり膨大な費用がかかるが、そうすると工場の生産ラインは採算が合わなくなり、市民の少なからぬ人たちが職を失うことになる。これは市にとって大きな損失だ。そこで、採算が合うように、浄化装置の開発と引き替えに、税の上での優遇処置の便宜を図ってもらう。この場合も、四つの責務をすべて果たすことができる。

⑶ 直接の上司が反対するのなら、さらに上層部にコンタクトすることもできる。この場合、会社の内部に亀裂を生じさせるかもしれないが、結果として会社に対するより大きい貢献をすることができるから、(1)を犠牲

にすることにはならない。

しかし、直接の上司だけではなく、会社上層部も反対するかもしれない。この場合、(1)の責務を果たすことは難しくなる。専門技術者としてデヴィッドは、公衆の安全を守る責務を第一のものとしなければならないからだ。

(IV) デヴィッドは、汚染の事実をマスコミに内部告発☞することもできる。この場合、(4)の公衆の安全と(3)の市への正直の責務は守られるが、(1)の会社への責務と(2)自己の経歴への責務は犠牲にされる。これは、困難な選択である。内部告発者の多くは、解雇される等の非常な不利益を被るからである◆1。しかし、新たな雇用先を確保してから、会社を辞任し、その後告発することもできる。

このように、想像力をフルに活用して、複数の解決法を考え、より多くの責務を果たせるものから順次試みることが大切だ。

☞ 基礎知識 04-d「内部告発」

◆1
内部告発者を保護する体制や、内部告発しないでもすむような第三者による「倫理ホットライン」の創設が望まれる。基礎知識 4-d「内部告発」の「内部告発をしないですむために」を参照。

(1) C・E・ハリス他（日本技術士会訳編）『第３版　科学技術者の倫理―その考え方と事例』丸善（2008/ 原著、2004）366 ～ 368 頁

11-2 日本における内部告発の事例

内部告発

内部告発には代償が伴うこともある。

不正行為が、組織内部のひとの手によって明らかになることもある。日本における内部告発の事例をいくつかを見てみよう。

＊＊＊

伊勢名物の和菓子「赤福」創業300年目の2007年、製造年月日を偽装しているという情報が農林水産省に寄せられ、調査が行われた。「当日生産、当日販売」のうたい文句に反して、赤福餅の出荷残を冷凍した上で、再包装し、新たな製造年月日を表示していたこと、また、回収した赤福餅を餅と餡に分け、再利用を行っていたことが明らかになった。ある従業員は入社直後に、売れ残り再利用の中止を上司に進言したが、「決まりだから」と返答され、従わざるを得なかったという。

同じく2007年、新聞社への内部告発によって、ミートホープ社による牛肉ミンチの品質表示偽装が発覚した。ミートホープ社の元幹部は、これより前の2006年に農林水産省北海道農政事務所に、不正挽肉の現物を持参して調査を依頼したが、受け取ってもらえず､告発は事実上放置されてしまった。その後、この幹部は新聞社に告発し、偽装事件の第一報となった。ミートホープ社は、約60名の全従業員に解雇通告を行い、自己破産を申請した。

これも同じ2007年、オリンパスの社員が、機密侵害に関わる上司の不正な行動を察知し、社内のコンプライアンス担当に通知した。オリンパスは不正の事実を認めた。しかし、内部告発がこの社員によるものであることがコンプライアンス担当者から当該社員の上司に伝えられ、その結果、当該社員は部署を異動させられると同時に、最低の人事評価をなされるようになってしまった。

2001年、国産牛肉にBSEにかかったものがあることが農林水産省から発表された。これを受け実施された国産牛肉買い取り事業を悪用し、雪印食品関西ミートセンターが、国外産の牛肉を国内産と偽って国内産牛肉のパッケージに詰め込み、農林水産省に買い取り費用を不正請求した。この件について、取引先だった冷蔵会社の西宮冷蔵が内部告発を行った。だが西宮冷蔵は、在庫証明書を改竄するなど偽装に加担したとして国から7日間の営業停止命令を受け、それ以後取引は激減してしまい、2002年にやむなく休業に陥る。その後全国から再開資金を集め、2004年に営業を再開した。

★事例の出典：新聞報道等による

POINT 内部告発すべきだと思われる時は、法律やこれまでの事例を調べて自分の行動を決定しよう

◆1
基礎知識04-d「内部告発」および巻末資料「改正公益通報者保護法」参照。また消費者庁に「公益通報者保護制度」ウェブサイトがある。
https://www.caa.go.jp/policies/policy/consumer_partnerships/whisleblower_protection_system/

2006年に施行された「公益通報者保護法」の改正法が2022年から施行されている[◆1]。この法律は名前のとおり、通報（内部告発）を行なった人が不当な扱いを受けることを防ぐことを目的とする法律である。また、この法律の名称は、内部告発は、「公益」すなわち社会の利益に資するものであるという考えを表している。この法律のおかげで、内部告発に対する抵抗感が以前よりも少なくなったことは確かであろう。改正法によって告発者がより保護されやすくなったが、現状では告発を行った者が保護されない場合もある。さらに、告発がすぐに活かされないこともある。改正法においても、通報の主体には取引先事業主が含まれていない。したがって、たとえば雪印食品牛肉偽装事件における西宮冷蔵の通報者のような場合は、保護の対象から外れることになる。

公益通報者保護法は当初から、内部告発によってダメージを受けないように事業自らが不正行為の防止に取り組むよう促す働きを持

っていた。改正法は、事業者に対し、公益通報に対応する従事者を指定することを義務づけ、事業者自ら不正を是正しやすくしている。赤福餅のように、社内で不正に対して異議を唱えても聞き入れてもらえない場合の改善が期待されている。改正法では、内部調査を行う者に対し、通報者の特定につながる情報の守秘が義務付けられている。オリンパスの事例のように、告発者の名前が漏れてしまうことがなくなることが望まれる。この法律では解雇などの制裁は禁じられているが、不幸にも制裁を受けてしまった場合は、訴訟を起こす必要などがある。

ここで見た内部告発の事例は、いずれも社会の利益となった。しかし、不正を知ったら必ず告発すべきであるとはいえない。ミートホープ事件では、結果的に会社が倒産し多くの人が職を失った。さらに、自分を守ることも大切である。告発すべきか否か。する場合、どこに通報するか。実名か匿名か。会社はどうなるのか。関連する法律と事例などを調べ、自分の行動を決める必要がある。

12-1 原発用原子炉圧力容器のゆがみ矯正

倫理規定

技術者には、社会への責任と雇用者への責任とが課せられている。

S社は、電力会社から、原子力発電用の原子炉圧力容器の製造を受注した。この圧力容器は、同社のT工場で、二十数ヵ月をかけて製造され、完成間近の段階に至っていた。しかし、応力除去のための最終焼鈍の工程で何らかの支障をきたし、圧力容器は、法規の許す範囲を超えてゆがんでしまった。通常、この工程では、加熱され、柔らかくなった圧力容器が自重に耐えかねてつぶれるのを防ぐために、リング状の板や「ステー」と呼ばれる頑丈な棒が支えとして当てがわれる。しかし、今回は、これらの支えが、何らかの原因でその機能を果たさなかったのである。

この事態を、関係省庁や受注先に知らせた場合、圧力容器をもう一度最初から作りなおすよう、要求されるかもしれない。その場合、これまでの製造に要した費用と時間の無駄は、S社にとって多大な損失となるだろう。それだけではない。納入が予定より二十数ヵ月遅れるということは、この原発が建設される地域の電力供給計画に少なからぬ影響を与えることになるだろう。その補償をS社が負担することになれば、会社の存亡も危うくなるかもしれない。その結果、S社の多くの社員が職を失うという事態もありうるだろう。

このような結果を恐れ、T工場では、この事態を関係省庁や受注先に知らせず、内密に処理することにした。すなわち、この圧力容器にもう一度焼鈍を施し、法規の許す範囲内に収まるようにゆがみを矯正した上で、電力会社に納入することにしたのである。しかし、そのためには、矯正の実施方法に関して、大量で緻密な計算を要求する検討が必要であった。しかも、この工程によって生じる材料劣化を考えれば、実施可能な回数は1回が限度であった。そこで、T工場は、この工場の設計部の応用解析グループに所属し、設計計算の専門家である技術者Aに、この矯正作業の実施方法を理論的に検討し、矯正法の原案を立てるよう指示した。技術者Aは、このような問題処理の仕方に対し、技術的にも法的にも疑問を感じたが、一方では、自分の所属する工場、ひいては会社が、自分の能力を必要としていることにやりがいを感じ、矯正作業を成功へと導く。

だが、その後、技術者Aのうちで、自らの行ったことに対する疑問はさらに強まり、また、社会的な疑問をも抱くようになる。

★事例の出典：田中三彦『原発はなぜ危険か――元設計技師の証言』岩波新書（1990）

POINT

技術者が倫理的責任を果たすためには、相反する責務の間で創造的な打開策を模索する必要がある。

この事例は、ある技術者の実際の経験に基づくものである。

倫理綱領は、指示された仕事に疑問をもつ技術者Ａに、どのような対処を示唆するだろうか。

多くの倫理綱領は、技術者が社会に対して負う責任として、社会の安全を守り、リスクを回避する責任を規定している◆1。一般に、技術者が関わるものは、自動車にしろ、化学プラントにしろ、不特定多数の公衆の安全に何らかの影響を及ぼす可能性をもつからである。特に原発の場合は、いったん大事故を起こせば、周辺住民や環境への影響は計り知れない。したがって倫理綱領はＡに、このような危険をはらむＴ工場の決定に異議を唱え、場合によっては、内部告発することを要求する☞。

◆1
「会員は、自らの専門的知識、技術、経験を活かして、人類の安全、健康、福祉の向上・増進を促進すべく最善を尽くす（日本機械学会倫理規程・綱領1）」

基礎知識 04-c「雇用者に対する不服従」
基礎知識 04-d「内部告発」☞

しかしまた、大多数の技術者は、企業や設計事務所等の組織の被用者として働いている。そしてこの雇用は、技術者が所属する組織の利益を尊重することを前提としている。そのため、多くの倫理綱領は、技術者に対して、雇用者や依頼者に対して誠実な代理人として行動する責任を規定している。ここには、組織の利益に関わる秘密を厳守する責務も含まれる[◆2]。Aの場合、指示された仕事を拒否したり、内部告発したりすれば、S社に多大な損失を与えることになるだろう。それは、この責務からして、ぜひとも避けねばならない。したがって、倫理綱領はAに、指示された仕事を忠実に実行するよう要求する☞。

以上からもわかるように、綱領は、時には、技術者にまったく相反する行動を要求することになる。つまり、倫理綱領とは、単に機械的にそれにしたがって行動すれば、自動的に技術者としての責任を果たせる、というものではない☞。綱領を活かし、責任ある技術者として行動するには、この事例に見られるような責任の相反の間で、自ら打開策を見出していくことが必要である☞。ここには、安全性の向上とコストの削減といった相反する要求の間でものづくりをする工学の仕事それ自体と相通じるものがある。技術者Aが打開策を探るとしたら、どのような選択肢が考えられるだろうか。それらのもたらすだろう結果をも合わせて、各自検討してみよう[◆3]。

◆2
「会員は、専門職務上の雇用者あるいは依頼者の、誠実な受託者あるいは代理人として行動し、契約の下に知り得た職務上の情報について機密保持の義務を全うする(同・綱領5前半)」

☞ 基礎知識04-b「組織における個人」

☞ 基礎知識05-c「どのように活かすか」

☞ 基礎知識08-d「倫理問題の解決法」

◆3
たとえば、先の綱領の後半は、その手がかりになるかもしれない。「それらの情報の中に人類社会や環境に対して重大な影響が予測される事項が存在する場合、契約者間で情報公開の了解が得られるよう努力する(同・綱領5後半)」

(1) 日本機械学会倫理規程:http://www.jsme.or.jp/notice36.htm

12-2 千葉県がんセンター事件

倫理規定

職務の遂行に際して、法令や倫理規定を遵守することは専門職の義務である。

千葉県がんセンターで無資格の歯科医師が患者に麻酔をしているなどの問題を内部通報したところ、報復措置を受け、退職を余儀なくされたとして、麻酔科医のA氏が千葉県を相手取って起こした国家賠償請求訴訟で、2014年5月21日、東京高裁は慰謝料30万円を支払うよう県に命ずる判決を言い渡した。

A氏は同センターの手術管理部麻酔科に2007年から勤務し、手術前の患者の診療（術前診療）や手術において実施する麻酔（手術麻酔）を担当していた。同センターで麻酔関連の業務を担当するのは、A氏とその直属の上司である手術管理部長、そして医科麻酔科研修を目的に勤務している4名の歯科医師であった。

歯科医師の医科麻酔科研修については厚生労働省がガイドラインを定めている。ところが、それに違反する次のような行為が行われていた。

- 歯科医師が単独で麻酔行為を行ったり、他の歯科研修医に麻酔の指導を行ったりしている。
- 手術管理部長が一人で同時に複数の歯科研修医を指導して

いる。

・歯科医師が研修として麻酔行為をすることについて患者の明確な同意を得ていない。

「このままでは患者の安全にかかわる」と判断したＡ氏は、2010年７月上旬、これらの問題点を指摘し、改善を求めることを内容とする上申を、上司の手術管理部長を通すことなく、センター長に直接行った。上申があったことをセンター長から伝えられた手術管理部長は、これを自分に対する不都合ないし敵対的な行為と受け止め、報復措置としてＡ氏を一切の手術麻酔の担当から外し、その後一切の術前診療の担当からも外した。また、Ａ氏は麻酔指導の経験を積んで麻酔科指導医の認定を受けることを希望していたが、同センターに所属するかぎり最早その機会も奪われてしまった。

2010年８月31日、Ａ氏はセンター長に対し退職届を提出、１カ月の休暇を取得したのち、９月30日に退職した。

★事例の出典：奥山俊宏「千葉県がんセンター「内部通報の報復として医師の業務外す」二審も県が敗訴」朝日新聞社ウェブサイト論座（2014年６月16日）、https://webronza.asahi.com/judiciary/articles/2714060800001.html、橋本佳子「千葉県がんセンターを内部告発したわけ」m3.com（2014年７月13日）、https://www.m3.com/news/open/iryoishin/233222、志村福子「なぜ内部告発しなければならなかったのか？」ゆき．えにしネット（2015年４月18日）、http://www.yuki-enishi.com/enishi/enishi-2015-05.pdf）

POINT

法令や倫理規定を実効性のある規則として活かすにはどうすればよいだろうか？

退職後もＡ氏は千葉県がんセンターの問題を解決するために行動を続けた。次の通報先は千葉県病院局長であり、医科麻酔科研修の実態と消化器外科の医療事故についてメールを送った。しかし、調査をしたり、直接話を聞きに来たりすることはなかったという。

やむなくＡ氏は同じ内容のメールを厚生労働省に送った。2011年2月のことである。ところがその返事は予想しないものだった。Ａ氏はすでに同センターを退職しており、通報時点では「労働者」ではない。それゆえ、公益通報者保護法の対象外であるから通報は受け付けられないというものだった。公益通報者保護法は2006年4月から施行され、2020年6月にその一部が改正された。改正前の旧法において「公益通報」とは、「労働者が、不正の目的でなく、勤務先における、刑事罰の対象となる不正を、通報すること」とされている。[◆1] 退職者はもはや労働者ではないため、通報してもそれは公益通報とはいえない。このような理由で通報内容への対応は何もなされず、問題は放置された。Ａ氏は

◆1
「労働者」とは、労働基準法９条に規定する労働者、つまり「職業の種類を問わず、事業又は事務所に使用される者で、賃金を支払われる者」を意味する。

NHKの番組の中で公益通報者保護制度について、「勇気をもって告発しても、それが受け止められない。だから、言うだけ損な法律という認識がありますよね」と語っている。[◆2]

結局、患者の安全を守るためのガイドラインも、不正を告発した者を守るための公益通報者保護法も、その本来の目的を果たすことができなかった。法令や倫理規定を定めることはもちろん意味のあることだが、それだけでは十分ではなく、こうした規則を実効性のあるものとして社会や組織の中で活用していく仕組みをいかに作るかが重要であることを、この事件は教えてくれているように思われる。

多くの辛苦を経験したA氏だが、その責任ある行動は実を結びつつある。A氏は厚生労働省への通報の際に門前払いにあった経験から、公益通報者保護法の改正を訴える活動に参加していた。その活動が成果をあげつつあり、2020年の改正法では、法律上保護される公益通報者の範囲が拡大され、「労働者であった者」（退職者）が追加されることになった。[◆3]

◆2
NHK クローズアップ現代「内部告発者　知られざる苦悩」2016年1月21日放送。

◆3
保護の対象となる「労働者であった者」（退職者）の範囲は、退職後1年以内の者に限定されている。

13-1 無駄な開発

専門的知識の研鑽

同じ失敗を繰り返さないことは、技術者の責任として重大な意味を持つ。

XYZ 社の管理職に就いている技術者 N は、部下の技術者 P から、効率的な伝熱表面の研究開発に失敗したという報告を受けた。しかし、同社では、別の技術者が以前にこれと同じことを試み、やはり失敗に終わった経緯があった。しかも、この時の記録は、同社の資料室に、いつでも閲覧可能な状態で保存されているのだった。N がこのことを指摘すると、P は、この記録も、関連の文献も確認していないことを認めた。

XYZ 社の資料室は、きわめて整備されたものである。充実した文献資料、コンピュータによる検索システム、さらに、文献利用を手伝うスタッフも常駐していた。にもかかわらず、N の記憶では、最近同社では、同じような時間と費用の浪費が相次いでいた。ライバル社が既に特許を取っている機構の開発を行ったり、自社製品の改良に非常に役立つ情報が技術誌に報告されているのを知らず、延々と進まぬ研究を続けたり……。

N は、自社の技術者の多くが、文献を読む必要性を認識していないことを痛感し、彼らに利用可能な技術文献をもっと利用させるにはどうすればよいか、考え始める。

★事例の出典：C･H･ハリス他、2002、397-398 頁

過去の失敗と専門家としての有能性との関係。技術者は他の技術者に対しても責任を負うこと。

技術者Ｐは、文献の参照を行わずに無駄な開発をし、会社に損害を与えることになったが、彼の行為は、技術者の倫理という観点から、どのように評価されるだろうか。

多くの工学系学協会の倫理綱領は、専門職としての技術者の責務として、専門知識の維持・向上を要求している[◆1]。通常、このことで念頭に置かれているのは、最新の技術や理論の吸収ということだろう。これは、現代のように、科学技術の発達が急速な時代には、当然のことである。

しかし、こういった最新の知見に関してだけではなく、過去の研究開発の経緯に関する知見にも、技術者はやはり十分に敏感であるべきだろう。というのも、それは、技術者の業務の根本に関わる事柄だからである。工学は、本質的に過去の失敗によって学び、発展するものである。工学において研究開発されるものは、無数の要因が複雑に影響する状況で使用される。こういった無数の要因をはじめからすべて考慮した上で、成功を保証され

◆1
「会員は、常に専門職上の能力・技芸の向上に努め、科学技術に関わる問題に対して、常に中立的・客観的な立場から正直かつ誠実に討議し、責任をもって結論を導き、実行するよう不断の努力を重ねる（日本機械学会倫理規程・綱領3）」

基礎知識 01-c ☞
「リスクアセスメントとリスクの低減」

◆2
「自己の人格、知識、および経験を活用して人材の育成に努め、それらの人々の専門的能力を向上させるための支援を行う（土木学会倫理規程 13）」

た研究開発を行うことは、そもそも不可能である。設計や技術開発は、必ず失敗する☞。しかしそれでもなお、過去の失敗に関する知見を生かし、同じ失敗は避けるという仕方で、技術者は自らの設計や開発を、より効率的に成功へと結びつけることが可能になるのである。また、過去の失敗例を考慮することで、それへの対策を施した、より安全な製品を開発することが可能になるのでもある。つまり、過去の失敗に関する知見を高めることは、技術者にとっては、きわめて重要な責任なのである。同じ失敗を繰り返し、結果として会社に「避けることのできた損害」を与えた技術者Ｐには、特にこのことが当てはまるだろう。

次に、管理職にある技術者Ｎに関してはどうだろうか。倫理綱領は、管理職にある技術者が他の技術者に対して負う責任を規定している[◆2]。Ｎは、自社に情報収集のための設備が充実しているにもかかわらず、Ｐがそれを活用しなかったことを責めているが、同時に、同様のことが過去にもあったことを思い出してもいる。このことは、彼が管理職としての技術者の責務を、十分に果たしてこなかったことを示唆してはいないだろうか。

なお、この観点から、Ｐや他の技術者たち

に関しても、新たな分析が可能になる。彼らが設備を活用しなかったのは、どのような事情によるのだろうか。単なる怠慢だったのか。それとも、設備の存在に関して十分知らされていなかったのか。あるいは、技術者たちの業務形態によるのかもしれない。たとえば、彼らは、他の業務と平行して今回の開発業務に当たっており、必要な準備を十分に行う時間がなかった、ということも考えられる。その場合、彼らの問題は、個人レベルのものではなく、会社組織そのものに関わる構造的なものということになる。これらのいずれであるかによって、技術者たちに対する倫理的評価もかなり変化するだろう。

したがって、事態の改善を模索し始めたNは、問題の構造的な性格をも視野に入れた改善策を模索するべきだろうし、開発に当たった技術者たちは、自分たちが情報収集を怠った理由を率直に報告するべきだろう◆3。それによって、双方が協力し◆4、技術者としての責務をより完全に全うできる環境を実現するよう努めるべきである。

◆3
先の日本機械学会倫理規程・綱領3を参照。

◆4
「会員は、他者と互いの能力・技芸の向上に協力し、専門職上の批判に謙虚に耳を傾け、真摯な態度で討論する（日本機械学会倫理規程・綱領6）」

(1) 畑村洋太郎編著『続々・実際の設計——失敗に学ぶ』日刊工業新聞社（1996）
(2) 日本機械学会倫理規程：http://www.jsme.or.jp/notice36.htm
(3) 土木学会倫理規定：http://www.jsce.or.jp/rules/rinnri.shtml

13-2 耐震偽装問題

専門的知識の
研鑽

一人の建築士の能力不足が引き起こした社会的混乱。その影響は広く深く、また現在にまで及んでいる。

2005年11月17日、国土交通省は、姉歯秀次一級建築士（当時）が構造計算を行ったマンションおよびホテルに関して、構造計算書が偽装されていたと発表した。同一級建築士は、1997年5月ごろから、計99件のマンションおよびホテルの構造計算書の偽装を行っており、うち78件に関しては、必要な耐震強度を満たしていない危険な建造物であることが明らかになった。

偽装の動機は、使用する鉄筋の数を減らし、建築コストを抑えた設計を実現する必要性だった。そのような設計ができれば、建設会社や販売会社から、多くの設計業務を受注できる。もちろんそのためには、低コスト化と安全基準のクリアとを同時に満たすことが必要である。しかし、同一級建築士には、それを実現するための建築士としての能力が欠けていた。にもかかわらず受注を確保し続けるため、安全性が確保されているかのように見せかける偽装に手を染めるようになったのである。

複雑な形状をした建物の耐震構造計算は通常、コンピュータプログラムを使用して行うが、今回の偽装では、複数の入力値で作成された計算書を組み合わせ、少ない鉄筋数でも基準に適合した計算結果が出ているように見せかけるといった手口が使われたりしていた。しかも実際の偽装内容は、設計に詳しい人物が設計図を見れば、一目で問題に気づく類のものであった。しかし、建築確認を行った公共の建築主事も民間の指定確認検査機関も問題を指摘できず、多くが完成され、既に入居が行われるに至っていた。

この偽装のもたらした社会的影響は、きわめて甚大なものだった。危険と判定されたマンションの入居者の多くは、多額のローンを負っている上に、マンションの補修費や、場合によっては解体撤去費用、新たな住居の購入費を負担せざるを得ない状況に立たされることになった。本来なら賠償責任を負うべき同建築士や、販売会社、建設会社に莫大な賠償金を支払う能力がなかった上に、そのような被害者に対する社会的な救済制度が整備されていなかったからである。また、建築確認において偽装が見逃されていたことから、確認制度のあり方や、それを支える法制度そのものの根本的な見直しを迫られることとなった。さらに、再発防止のために審査が厳格化された結果、審査請求から認可までに時間がかかるようになり、その間工事に着工できないために、住宅着工が落ち込み、経済に対しても悪影響がもたらされることにもなった。そして何よりも、建築業界に対する不信感、住環境の安全性に対する不安感が、社会全体に広がることになったのである。

POINT

技術業は社会の成立そのものに関わる。有能な技術者であることは、倫理的責任に他ならないことを自覚することが重要である。

この問題は、一個人が引き起こしたという側面よりも、建築確認制度および建築士制度の制度疲労という側面から論じられる場合が多い。現代の建築設計は、技術的に高度に専門化・細分化されており、その上、確認の際に提出される申請書類は膨大な量にのぼる。その結果、建築確認においては、設計の全体を見渡しながら、細部の内容まで全てを確認することは困難であり、審査が形骸化しているのが実態だった。また建築士制度に関しても、技術的・倫理的に劣った建築士の存在を許容するものであることが露呈したのである。

したがって、このような問題の再発を防止するために、これらの制度の見直しが不可欠であった。特に建築確認に関しては、安全性確保のために設計が満たすべき条件が細部に至るまで厳密に規定されることになった。しかし安全性確保のためには、個々の建築士がその業務の意義を自覚し、責任をもって自らの能力を高めていくこともやはり欠かせない。というのも、一つには、建築設計は、絶えず新たな技術革新を取り入れ、また建築士自身も創意工夫をして、常に新たなものへと変化し続けるものであり、本来安全もそのような変革によって実現・向上させていく側面があるからである。過度の規制は、このような仕方での社会の発展を阻害することになってしまう。したがって、建築士自らの能力と誠実さに依存する余地がどうしても残されることになる。さらにほとんどの人にとって、住居とは、人生で一度きりの高価な買い物であり、また自らの生活の大切な依りどころとなるものである。そしてそのような住居の設計を、業務独占という仕方で請け負っているのが建築士に他ならない。つまり一般人は、自らの生活基盤に不可欠な安全性を独力では実現できないゆえに、建築士の専門的能力に依存することでそれを確保しているのである。この意味で、建築士が専門家として優れた能力を身につけることは、単に建築士個人が自らの生活の糧を得るための手段であるだけでなく、社会生活そのものを成り立たせるために社会から付託された、それ自体が倫理的意義を有するものに他ならないのである。

---

(1)『structure』No.111（2009年9月号）

14-1 シティコープタワー

専門家の誇り

自分の行動が倫理的に正しい選択であったかどうかは、他人との協力の中で確かめることができる。

1977年、ニューヨークのマンハッタンにシティコープの新しい本社ビルが完成した。建設用地の一部を所有する教会の建造物の上に59階建てのタワーを建てるという設計上の困難を克服してのことである。そのために構造技術者ウィリアム・ルメジャーは、9階分の高さをもつ四本の脚柱でタワーを支えるという、ユニークな設計を提案した。しかも、それぞれの脚柱は建物の四隅にではなく各側面中央に位置していた。彼が最も気を配ったのは風に対する十分な耐久力を確保することだった。そのためにいくつかの革新的技術が導入されたが、建物の振動を減衰するための同調質量ダンパーもその一つである。

ところが完成の翌年、設計を研究する一人の学生から出された疑問がルメジャーに構造部分の再検討をうながしたのだった。結論は、「16年に一度のハリケーン」には持ちこたえられない、ということだった。また、調査の途中で、工事が設計どおりに行われていなかったという事実も発覚した。

ルメジャーは急遽この問題を解決するための新しいプランの作成に取りかかった。彼と彼のパートナーの建築家スタビンスは、保険会社の弁護士やシティコープの重役たちと会い、構造上の欠陥について説明した。そして、多くの協力者の支援もあって、工事は速やかに行われ、ハリケーンがやって来る前に修理を完成させることができたのだった。

Harris et al., Engineering Ethics, Concepts and Cases, Wadsworth, 2000, p.1.

★事例の出典：C. B. Fleddermann, Engineering Ethics, 1999, Prentice-Hall, Inc., pp.111-112.

POINT

技術者の責任とそれを果たす際の障害。協力による問題解決。

今日、ルメジャーは革新的技術を生み出した有能な構造技術者としてだけではなく、道徳的にも優れた技術者の一人として人々に称賛されている。彼の名を一躍有名にしたのがこの事例において彼のとった責任ある行動であった。彼は自分の仕事が完成した後も調査に調査を重ね、建物の安全性に対する配慮を怠らなかった。その誠実な態度が補修工事を進める際にも、多くの関係者を動かす原動力となり、補修を成功へと導いたのだった。

基礎知識 08-a
「技術者の責任の
3つの概念」

そもそもルメジャーが負うべき責任とは何だったのか。彼が心配したのは、ハリケーンに襲われたとき、タワーが対角線方向の荷重に耐えられるかどうかだった。タワーの二つの側面が風の力を斜めから受けた場合、その合力は一つの側面が風を真正面から受けたときと比較して40％以上も大きくなるからである。しかし、市の定める当時の建築基準には、対角線方向からの風についての規定は含まれていなかった。したがって、彼が自ら引き受けた責任とは、彼自身の調査によって気づいたものである。むしろ、仮にそのような規定が存在していたら、彼はあれほどまで真剣に安全対策を講じただろうか、と疑問に思われるくらいである。その意味では、彼の行ったことは、法的基準を満たすという最小限の責任範囲を越えるものだった。

この種の責任を果たす場合、「無知」や「恐れ」が大きな障害☞となる。ルメジャーは、彼のコンサルタントであり構造上の風問題に関する世界的権威であるアラン・ダベンポート教授に調査の協力を依頼し、工事の必要性を確信した。そして、自分自身に対して「警笛を鳴らす（ホイッスル・ブローイング）」という重大な選択は、依頼者であるシティコープの重役や、他の科学者・技術者たちとの議論によって、間違ってはいないと確信することができた。技術上の知識に関する無知と、依頼者との関係や自己の名声に傷がつくことに対する恐れは、このように各方面の専門家との協力によって乗り越えることができたのである。

☞ 基礎知識 07-g
「責任への障害」

(1) C・ウィットベック（札野順・飯野弘之訳）『技術倫理 1』みすず書房（2000）183-192 頁
(2) シティコープタワーについてもっと詳しく知りたい読者は、ぜひ次のホームページを見て欲しい。
http://onlineethics.org/Topics/ProfPractice/Exemplars/BehavingWell/lemesindex.aspx
http://www.greatbuildings.com/buildings/Citicorp_Center.html

14-2 環境に配慮したデンソーのカーエアコン

専門家の誇り

組織の中で技術者が優れた仕事をするには、解決すべき問題を自分で発見する必要がある。

デンソーは二酸化炭素を冷媒に利用したカーエアコンを2001年にトヨタ自動車と共同で開発した。これはフロンガスを冷媒としない世界初のカーエアコンである。開発の中心となったのは、デンソーの若手技術者・平田敏夫さんだった。このカーエアコンは二つの点で地球環境にとって優れている。

第一に、フロンCFC-12を冷媒として使用しない。CFC-12は、人工冷媒として1930年代にアメリカで開発され、安全で公害も起こさないと考えられたため広く普及していた。ところが1970年代にCFC-12がオゾン層を破壊する可能性が指摘されると、1980年代には代替フロンHFC-134aに置き換えられるようになっている。

デンソーが開発したカーエアコンが環境に優れている第二の点は、HFC-134aも冷媒に使わないことだ。オゾン層を破壊しにくい点が期待された代替フロンだが、地球の温暖化を招く温室効果が高いことが分かっている。

なぜ平田さんは、二酸化炭素を用いるカーエアコンの完成に漕ぎ着けることができたのだろうか。

☞ 基礎知識06-d「環境倫理と工学倫理」

★事例の出典：黒田光太郎・戸田山和久・伊勢田哲治編著『誇り高い技術者になろう——工学倫理ノススメ（第2版）』名古屋大学出版会（2012）18-31頁

解決すべき問題に取り組むには、社内外とコミュニケーションを図って情報ネットワークを築くことだ。

なぜ平田さんは二酸化炭素を用いるカーエアコンの開発を成功させることができたのか。問題解決能力とコミュニケーション能力を通して考えてみよう。技術者の仕事には二種類ある。与えられた問題を解決することと、自分で見つけた問題を解決することだ。後者で必要になるのが問題発見能力である。1993年前後のデンソーには、代替フロンへの移行を恒久対策と見る向きもあった。しかしその頃には、オゾン層破壊だけでなく地球温暖化が地球環境問題として世界で注目を集め始めていた。

1992年にブラジルのリオデジャネイロで行われた「環境と開発に関する国連会議」では温暖化への対応が協議され、ドイツ議会では代替フロンの温暖化への影響がクローズアップされている。当時すでにヨーロッパではHFC-134aに替わる冷媒の開発が始められている。

こうした新たな潮流に気づいていた平田さんは、代替フロンを使用しないカーエアコンの開発という新たに取り組むべき課題があると考えるようになっていた。

こうして自分で発見した問題を解決してゆくのを平田さんに可能にしたのがコミュニケーション能力だった。この能力を身に着けているというには、日本語と外国語の双方で記述・口頭発表をし、さらに討議を論理的に進めることができる必要がある。[◆1]

1993年ごろ、代替フロンへの移行が終わった社内には安心感があった。こうした中で、HFC-134a以外の冷媒を使用するカーエアコンを作るという課題を発見していた平田さんは、社内を説得するために、ヨーロッパの動きを調査し始めている。その過程で、海外の組織や研究者と外国語を通じたコミュニケーションを行い、個人的な情報のネットワークを築いたことは大いに役立った。中でも重要だったのが、カーエアコンの冷媒に二酸化炭素を使用することについて論文を書いていたノルウェーの研究者に手紙を出したことだ。すると、その研究者は冷媒研究の世界的な権威者であるノルウェー工科大学のダスタフ・ローレンツェン博士（現在は故人）であることが分かった。そして、ローレンツェン博士に相談していくうちに、二酸化炭素が最も有望な選択肢であることが分かった。その後、平田さんの個人的なネットワークは、冷媒メ

◆1
例えば日本技術者教育認定機構はコミュニケーション能力を「論理的な記述力、口頭発表力、討議等のコミュニケーション能力」として示している（『日本技術者教育認定基準』日本技術者教育認定機構　2012）。

ーカー・車両メーカー・研究所・業界団体へと広がっている。ネットワークに平田さんは個人的な面会・Fax・電子メールによる問い合わせを行った。ここでも科学技術英語によるコミュニケーション能力が重要な役割を果たしている。◆2

次に平田さんが取り組んだのは、調査にもとづいて社内を説得し、実際の研究開発を開始することだった。説得する手立てとして、かねてより手紙を出していたイギリスの冷媒メーカー、キャラー・ガスから冷媒拡販のために日本を訪れる人物にデンソーに立ち寄ってもらい、ヨーロッパで脱代替フロンの動きが広がっていることを社内の開発部に話してもらっている。続いて、ノルウェー工科大学からローレンツェン博士の弟子をデンソーに招き、ヨーロッパ車両メーカーが二酸化炭素冷媒システムの共同開発を行っていることを語ってもらっている。すると開発部隊は動き始めた。こうして、平田さんの国際的なネットワークを糧にして、1997年には「事業部脱フロンプロジェクト」が発足し、二酸化炭素を冷媒とするカーエアコンの開発を全社的に行う体制がデンソーに出来上がっていった。◆3

◆2
平田さんが言うコミュニケーション能力には、外国語の能力だけでなく、海外の研究者・技術者に日本の文化をきちんと語れることが含まれている。『誇り高い技術者になろう――工学倫理ノススメ（第2版）』24頁を参照のこと。

◆3
残念ながら、2017年の時点ではカーエアコンへの二酸化炭素の利用は一部を除き実現していない。一方で、二酸化炭素冷媒は給湯器など、密閉性が高く定置式の機器の冷媒としては依然として有望な技術である。『誇り高い技術者になろう――工学倫理ノススメ（第2版）』29－30頁を参照のこと。

15-1 みずほのシステムトラブル

システム設計の難しさ

技術者は、肥大化する巨大情報システムをどう扱えばよいのだろうか。

2002年4月1日、第一勧業銀行、富士銀行、日本興業銀行の三行が経営統合して誕生したみずほ銀行が開業日を迎えた。同日、統合後の新システムに障害が発生し、現金自動預入払出機（ATM）のトラブルが多数生じた。復旧は長期化し、事態の収束には1カ月以上を費やした。

一連の騒動を重く見た金融庁と日銀は、5月8日にみずほへの立ち入り検査に乗りだした。金融庁は6月19日に銀行法に基づく業務改善命令を発動し、みずほに対し、経営責任を明確化させることや、再発防止策の確実な実施を求めた。2002年5月24日、みずほホールディングスは、システム障害に伴う損害額が18億円にのぼる見通しであることを公表した。

だが障害は一度で終わらなかった。9年後の2011年3月、みずほ銀行は再び大規模なシステム障害を起こしたのである。3月11日に発生した東日本大震災に伴い、義援金振込口座に全国から振込が集中したことが、直接の原因である。みずほ側は復旧処理を実施したものの、障害が解消されないまま数日が経過し、ついにはATMやインターネットバンキングなどのサービスの計画停止へと追い込まれた。システムの運用が正常化したのは22日夜からであった。みずほフィナンシャルグループは2011年5月13日、この障害の影響で合計80億円の追加費用が発生することを明らかにした。

二度のシステム障害は、みずほ銀行に大きな損失をもたらした。金額に換算できるもののみに限ったとしても、100億円に迫る額である。一方で、金額に換算できない損失も生じていることが予想される。この事例において、みずほ銀行はなにを失い、どのような損失をだしたのだろうか。またどうすればそうして失ったものを取り戻せるのだろうか。

＊＊＊

みずほ銀行は「悲願」ともいえるシステム刷新と統合のプロジェクトを2019年7月に完了させた。これでようやくシステム障害の問題は解消したかに思われた。しかしその後、同行は2021年2月から2022年2月までの約13カ月間に合計11回のシステム障害を起こし、金融庁は同行に対し業務改善命令を発出している[1)]。本事例は、巨大システムの設計と運用保守が、いかに困難であるかということを物語っている。

1)「みずほ銀行に足りなかった『顧客目線』、大規模システム障害での情報開示に学ぶ」日経クロステック（xTECH）https://xtech.nikkei.com/atcl/nxt/column/18/02409/032600004/（最終アクセス日：2023年8月17日）

POINT

付加設計の繰り返しは、巨大情報システムの運用をより困難なものにする。

みずほ銀行をはじめとするメガバンクの情報システムは、もはや一企業の枠を超えて、経済的インフラとも言うべき存在になっている。そのため、ひとたびシステム障害を発生させてしまうと、各方面に多大な影響を及ぼすこととなる。

したがって、こうした巨大なシステムにおいては、障害発生確率をできるだけ少なくすることや、たとえ障害が発生したとしてもすぐに復旧できるような体制を整えておくことが重要となってくる。しかしみずほ銀行では、こうした対策が十分に取られていなかった。その結果が、二度のシステム障害である。

これらの障害には、預金や融資などの業務を扱う「勘定系」システムの老朽化と肥大化が大きく関わっている。みずほ銀行は、1988年に稼働を開始した勘定系システムを旧第一勧業銀行から引き継ぎ、修整や機能の追加を繰り返しながら使い続けてきていた。いわば、本来行うべきシステムの全面的刷新を怠り、「付加設計」を続けることによって老朽化したシステムを動かしている状態である。付加設計とは、周辺状況が大きく変化した際、それに対応するための製品やシステムを新規に開発するのではなく、既存製品やシステムの小変更によって対処しようとするやり方のことである。

付加設計の繰り返しは、システムの運用を困難にさせる。システムを構成するプログラムの場合、ある部分を最適化したとしても、それが全体の最適化につながるとは限らないからである。すなわち、欠陥の修正が実質的には別の欠陥を生み出す可能性を秘めているために、付加設計はシステム全体をより複雑化させ、そのメンテナンス作業に必要な人的資源と時間、コスト、そしてプログラムの行数を増大させる。その結果、システムは肥大化し、担当者でさえ中身を完全に把握できないブラックボックスと化すことになる。

では、このような大規模障害を引き起こすまで、システムの老朽化、肥大化を見過ごしてしまったのはなぜだろうか。誰がどの時点でどのような行動をおこせば、この事態が防げたのだろうか。◆1

◆1
システムの全面刷新さえ行えば、これらの問題が解決するかというと、そう単純な話ではない。現にみずほフィナンシャルグループは、2019年7月にシステムの全面刷新と統合を完了させているが、その後もシステムトラブル自体は繰り返し生じているためである。
つまりシステムトラブルは、本事例で見たようにシステムの老朽化と肥大化が原因となって生じることもあるが、常にそれだけを原因として発生するわけではない。たとえ全面刷新が行われたとしても、システムの安定的な運用保守のためには、なお多くの労力とコストが引き続き必要とされるのである。

(1) 畑村洋太郎『失敗学 実践講義 だから失敗は繰り返される』講談社 (2006) 123頁
(2) ブルックス『人月の神話 新組新装版』ピアソン桐原 (2010) 112頁
(3) 日経コンピュータ『みずほ銀行システム統合、苦闘の19年史――史上最大のITプロジェクト「3度目の正直」』日経BP (2019)

15-2 小惑星探査機はやぶさ

システム設計の難しさ

技術者は、システムの破綻を防ぐために、事前に何をどこまで想定しておくべきなのか。

2003年5月9日、小惑星探査機「はやぶさ」が鹿児島県内之浦宇宙観測所から打ち上げられた。はやぶさに課せられたミッションは、小惑星イトカワから標本（サンプル）を採取し、地球へと持ち帰ることである。だがその旅路は順風満帆ではなく、いくつもの深刻なトラブルに見舞われている。

2005年11月26日、サンプル採取を終えた直後、姿勢制御に用いる化学推進スラスターから燃料漏れが生じ、はやぶさの姿勢を乱した。姿勢を安定した状態へ戻すために、運用チームは、イオンエンジンの燃料であるキセノンを、イオン化せず生ガスのまま噴射することによって姿勢を制御するという「奇策」を編み出した。イオンエンジンの想定外の使い方による問題解決である。

姿勢制御の問題はこの後も尾を引いた。2006年3月、キセノンの生ガスをこれ以上使うわけにはいかないという条件下で、運用チームは次の「奇策」を提案した。太陽光がわずかに物体を推す力「太陽輻射圧」を姿勢制御に使うという案であった。これも設計時には考慮されていなかった方法であったが、運用終盤には精度も向上し、ミッションの成功に貢献した。

地球帰還を目前にした2009年11月には、エンジントラブルに直面した。はやぶさはエンジン全４基中１基のみで動いている状態に陥ったのである。イオン源と中和器の組み合わせからなる各イオンエンジンは、通常イオン源Ａと中和器Ａといった予め決まった組み合わせで運用されるが、この時は別々の組み合わせで連動させる「クロス運転」を行い、地球帰還に必要な推力を確保した。だが実は、設計段階では別々のイオン源と中和器を組み合わせることはできなかった。つまり設計通りであれば、クロス運転は不可能なはずなのである。それが可能になったのは、万が一の状況を想定した技術者が、開発の最終段階でバイパスダイオードを回路に追加していたためである。

2010年6月13日、数々のトラブルを乗り越えたはやぶさは、イトカワのサンプルが収められたカプセルを地球に向かって投下した後、大気圏へ突入し、７年60億キロの旅を終えた。

＊＊＊

後継機となる「はやぶさ2」が、2014年12月３日に打ち上げられた。その後、数々の世界初記録を達成しながら、2020年12月に小惑星「リュウグウ」からサンプルを持ち帰るミッションを成功させた。はやぶさ２本体は、そのまま別の天体を探査する「拡張ミッション」に旅立った。次の目的地となる小惑星1998KY26には、2031年７月到着予定である。

POINT

技術者は全てを見通す万能の神ではない。だからこそ、多様な制約条件のもとで最善を尽くすための方法を知る必要がある。

◆1
齊藤了文『〈ものづくり〉と複雑系――アポロ13号はなぜ帰還できたか』講談社（1998）

◆2
小野瀬直美、寺薗淳也『はやぶさ君の冒険日誌』毎日新聞社（2011）65頁

宇宙空間は、地球上に比べて制約条件が多い。技術者はこのような制約下で限定的な合理性を発揮する――言い換えれば、制約条件のもとで最善を尽くす――ことで、問題に対処しなくてはならない[◆1]。したがって、はやぶさの事例でも顕著であるが、その問題が想定内であるか想定外であるかに関係なく、常に想像力を総動員して、考え得るトラブルに対しては対策を考え続けておく[◆2]必要がある。

しかしながら、人間には全てを見通す能力があるわけではない。想像力にも限界がある。そのような有限な能力しか持たない私たちの役に立つのが、冗長設計の考え方である。冗長設計とは、ある一部の機能が損なわれることによって、連鎖的にシステム全体が機能を失うといった事態を避けるために、あらかじめシステムの一部に余裕を持たせておくような設計である。

たとえば、はやぶさのイオンエンジンが4基構成になっているのも、どれかがダメになっても生きている部分を組み合わせて動かせるという特徴、つまり「冗長性」を手に入れるためで

ある。[3]冗長系は私たちの予測能力の限界を補ってくれるのである。

人工衛星や惑星探査機などは、現場に行って故障箇所を見たり、修理したりできない点で、他の機械とは大きく異なるため、故障が起こらないような設計を特に徹底的にする必要があるし、[4]仮に起こったとしてもシステムが破綻するリスクを最小限に抑えるような冗長系は必須であると言えよう。事実、後継プロジェクトのはやぶさ2においても、様々な面で冗長系が重視されていることが、プロジェクトマネジャーの津田雄一によって明言されている。[5]

冗長系以外の方法もある。キセノンの生ガス噴射や太陽輻射圧の利用による姿勢制御方法の確立などがその典型である。これは「補ってくれるシステムがないなら、自分たちで考え、使えるものはなんでも使って解決方法を探るしかない」[6]という、冗長系とは別の考え方である。

システム設計は難しい。複雑な環境の中で、多様な制約条件を意識しつつ、システムを構築しなければいけないからだ。しかし、そうした難しさに対処するための方針や方法論は、ここで述べたように、先人たちが既に示してくれている。先人に学ぶことで、システム設計の難しさは、少し軽減されるだろう。

◆3
JAXA、的川泰宣、寺門和夫、山根一眞、喜多充成『私たちの「はやぶさ」――その時管制室で、彼らは何を思い、どう動いたか』毎日新聞社（2012）26頁

◆4
川口淳一郎『小惑星探査機はやぶさ――「玉手箱」は開かれた』中公新書（2010）122頁

◆5
津田雄一『はやぶさ2のプロジェクトマネジャーはなぜ「無駄」を大切にしたのか？』朝日新聞出版（2022）93-97頁

◆6
川口淳一郎『はやぶさ、そうまでして君は――生みの親がはじめて明かすプロジェクト秘話』宝島社（2010）142頁

16-1 職場でのパワー・ハラスメント

ハラスメント

ハラスメントの多様化に伴い、何がハラスメントとみなされうるか、組織内の継続的な合意形成が必要である。

一級建築士だったAさんは、2015年にデンソーファシリティーズに入社し、施工管理や施設の設計に従事していた。2019年には、デンソー池田工場の解体工事など、2つのプロジェクトで中心的な役割を果たしていた。

デンソー池田工場の解体工事で、直属の上司はAさんに対して「ばか」「辞めちまえ」などと発言した。総括部長はAさんに、検討と報告を繰り返させたうえ、書類を決裁しなかった。2020年2月から1カ月の時間外労働は約60時間に上った。[1] Aさんは同年7月頃、うつ病を発症、自死を選んだ。

刈谷労働基準監督署は、Aさんが亡くなったのは、仕事内容、量の大きな変化、職場でのパワー・ハラスメントなどでうつ病を発症したことが原因だったとして、2021年3月31日に労災認定した。

---

1) Aさんの父親によると、2020年1月頃、休日で実家に帰ってきているときにも、会社からAさんの携帯電話に何度も電話がかかってきており、Aさんは「パワハラを受けている」とこぼしつつも、「もう少し頑張ってみる」と言っていたという。父親は「どうしてあの時、会社を辞めろと言わなかったのか。悔いが残って仕方がない」と、今も自分を責めている。

★事例の出典：中日新聞2022年3月16日朝刊1面

さまざまなハラスメントと、関連する法律について知っておこう。

ハラスメントとは、言葉や態度、行動などによって「相手を不快にさせる」「人格を否定する」など、人権侵害[1]を行うことをさす。個人から個人に対して行われる場合もあれば、集団で個人に対してハラスメントがなされる場合もある。

事例で労災認定された「パワー・ハラスメント」とは、⑴優越的な関係を背景とした言動、⑵業務上必要かつ相当な範囲を超えた言動、⑶労働者の就業環境が害される——の3つを満たす行為と定義されており、厚生労働省は具体例として、身体的な攻撃、精神的な攻撃、過大な要求、過小な要求、人間関係からの切り離し、個の侵害の6類型を示している[2]。

「改正労働施策総合推進法」が施行された2020年から、大企業ではパワハラ防止策を講じることが義務付けられている。中小企業には2022年から適用され、就業規則にパワハラへの対処方針を盛り込むことや、相談窓口の設置が義務付けられている[3]。

ハラスメントには、他にもさまざまなパタ

◆1
「男の子、女の子、僕、坊や、お嬢さん、おじさん、おばさん、時短さん、派遣さん」など、相手に対して人格を認めないような呼びかけをすることも、ハラスメントの例である。

◆2
厚生労働省「あかるい職場応援団」https://www.no-harassment.mhlw.go.jp/

◆3
「職場のハラスメントに関する実態調査」(2020年)でも、過去3年間に相談があったと回答した企業のうち48.2%がパワハラについて相談を受けたと回答している。パワハラに次いで、セクハラ29.8%、顧客等からの著しい迷惑行為19.5%、妊娠・出産・育児休業等ハラスメント5.2%、介護休業等ハラスメント1.4%であった。

ーンがある。

「セクシュアル・ハラスメント」は、相手が不快に感じる性的な言動をすることである。[4] 労働者[5]に対しては「男女雇用機会均等法」で企業側に防止義務が定められている☞。

「ジェンダー・ハラスメント」は、「男性らしさ・女性らしさ」にふさわしい言動を強要したり、そぐわない行動を非難したりするものである。[6]

「SOGI（ソジ）(Sexual Orientation, Gender Identity) ハラスメント」は、性的指向（セクシュアル・オリエンテーション）や性自認（ジェンダー・アイデンティティ）に関連した差別的な言動や嘲笑を指す。[7] 性的指向や性自認に基づく採用拒否や解雇、嫌がらせのほか、本人の許可なく公表すること（アウティング）も人権侵害となる。

マタニティ（パタニティ）・ハラスメントは、妊娠、出産、育児中の働く女性（男性）に対して、妊娠、出産、育児を理由に行われる嫌がらせをさし、解雇、降格、本人の希望に基づかない配置転換、自主退職の強要などが挙げられる。家族のために介護休業制度を利用することへの中傷や妨害などは「ケア・ハラスメント」と称されることもある。これらに

◆4
性的な冗談やからかいなど、不快な環境を作り出すことや、性別に基づく差別的言動、個人的な内容の質問をすることが含まれる。

◆5
近年は、労働者には該当しない就職活動中やインターンシップ中の学生に対して行われる「就活セクハラ」が問題視されている。

☞ 事例分析 16-2「米国三菱自動車訴訟」

◆6
「男性は女性より力があるんだから、荷物は男性が運んでね」「細かいことに気づいて、いい奥さんになるね」などの例が挙げられる。

◆7
制服の強要や特定のトイレの使用など、望まない性別での社会生活の強要といえばわかりやすいかもしれない。

対しては「育児･介護休業法」が適用される。

未婚であること、子どもがいないこと、異性との交際がないことを理由に人格を否定するなど[◆8]、結婚・妊娠・出産といった私的領域に踏み込む発言は、深刻なハラスメントと認識される可能性がある。

近年は、オンライン業務においてさまざまな形でハラスメントが発生したことが知られている[◆9]。その一方で、遅刻の多い部下に注意をしたところ、「精神的な攻撃（パワハラ）」だと訴えられたなど、指導を受ける側にとって不都合な内容であればハラスメントだと言い立てられるため、正当な指導が困難だと、指導する側が委縮する事例も問題になっている。職場で継続的にハラスメント研修を重ねることで、何がハラスメントに該当し、何が必要な指導なのか、職場の共通認識をアップデートし続けていくことが求められている。

◆8
「結婚をしていない男は一人前でない」「社会人としてそろそろ身を固めた方がよい」などの発言は「マリッジ・ハラスメント」、子どものいない人に対する「子どもはまだ？　産むなら早い方がいいよ」などの発言は「子なしハラスメント」、「その年で一度も異性とお付き合いをしたことがないなんて、人間性に問題がある」などの発言は「ラブ・ハラスメント」などと称される。

◆9
オンライン会議で偶然映り込んだ背景を見て「汚い部屋だな。そんなんだから仕事もできないんだ」、臨時休校のため自宅で子どもの世話をせざるを得ない状況の社員に「うるさいな、子どもも黙らせられないのか。奥さんに見てもらえ」、リモートでの採用面接で「カメラを動かして部屋を見せて」「部屋着を見せて」と要求したなど。

16-2 米国三菱自動車訴訟

ハラスメント

ハラスメントの訴えがあった場合、被害者の立場に立った迅速な対応をすることが求められる。

1996年、連邦雇用平等委員会（EEOC）は、米国三菱自動車製造（MMMA）に対して集団訴訟を起こした。訴えの内容は、MMMA（三菱グループ100%出資会社で、従業員数約4000人、女性従業員は約800人）においてセクシュアル・ハラスメントが蔓延していたというものである。経過は以下の通りである。

1992　3人の女性従業員が、セクシュアル・ハラスメントにあっているとして、弁護士に相談。

1994　さらに20数名の女性が、同じ弁護士に相談。弁護士はMMMAに対して民事訴訟を提起。

1994　個人でEEOCに救済を訴えた女性従業員がおり、EEOCが本格的調査を開始。

1995　EEOCは調査結果と13項目からなる改善案をMMMAに提出。しかしMMMAは、既に問題のある従業員の降格・解雇を行ったとしてそれ以上の対応をしなかった。

（1988～1996　男性従業員10人を、セクシュアル・ハラスメントを理由に解雇）

1996　EEOCがMMMAに対して集団訴訟を起こす（4月）。

1996　地元の市長も含めたMMMAの従業員とその家族約2700

人が、バス59台でシカゴのEEOC事務局に赴き、訴訟取り下げを求めるデモを行った（4/22）。バスのチャーター代・昼食代・日当は会社側が負担していた。会社側は、デモはあくまでも従業員の自主的な行動であり、こういった場合には費用を会社負担とする労働協約上の取り決めが米国三菱の労使間にあったと説明した。しかし抗議行動に対する会社側のこのような便宜に対して「日本的経営である」との理解は得られず、マスコミからは、デモそのものが会社の動員であり、会社ぐるみで事実をもみ消そうとしており、フェアではないという批判を浴びた。5月にはMMMA製自動車の不買運動にまで発展。

1996　MMMAは社外調査団を設置し、EEOCとの和解交渉に入った（5月）。

1997　社外調査団から受けた34項目の改善勧告を受け入れ、MMMAが「職場改善計画」を発表。

1997　民事訴訟で和解成立。補償額は総額950万ドル。

1998　集団訴訟で和解成立。補償額は3400万ドル。この補償金は、すでに会社を辞めた女性も含め、推定300人以上の被害女性たちに、被害の程度を考慮して配分される。

この事件は、EEOCの提訴としてもMMMAが敗訴した場合の賠償額としても、ともに過去最大規模であることなどから日米のマスコミで大きく取り上げられた。

★事例の出典：柏木宏『アメリカにおけるセクシュアル・ハラスメント』解放出版社（1999）、金子雅臣『事例・判例でみるセクハラ対策』築地書館（1999）

POINT ハラスメントに対して、企業はどのような対応をすべきか。

職場においてセクシュアル・ハラスメントが起こった場合、かつては「個人間のことだから当人同士が解決すべきであり、企業は関与しない」という対応がなされていた。しかし日本でも1999年に改正「男女雇用機会均等法」が施行され、セクシュアル・ハラスメントについても、事業主に対して雇用管理上の配慮が義務づけられるようになった☞。

基礎知識04-e ☞「雇用者の責任」

ハラスメントの訴えが出た場合に積極的に対応しないと、企業にとって大変なダメージを受けることになりかねないことの好例が、この米国三菱自動車（MMMA）事件である。結果的に、民事訴訟で950万ドル、集団訴訟で3400万ドル（約40億円）の補償という巨額の代価を払うことになっている。

補償金額の問題だけではなく「米国三菱＝セクハラ」というイメージが定着したように、企業イメージの失墜にもつながり、悪くすると不買運動にさえ発展しかねない重大な問題でもある。職場におけるセクシュアル・ハラスメントでは、提訴されるのは男性従業員だけではなく、会社自身である。1994年の民事訴訟も1996年の集団訴訟も、セクシュアル・ハラスメントに適切に対処しなかった会社のあり方を批判している。したがって、職場でセクシュアル・ハラスメントがあるとの訴えが出た場合、「当事者同士の問題だから、当事者同士で話し合って」などと対応するのは間違いである。

改善勧告の内容は34項目あり、セクシュアル・ハラスメント対策に触れているのは14項目め（全従業員及び新入社員・管理監督者がセクシュアル・ハラスメント防止講習に出席すること）だけである。これは、対症療法的にセクハラ対策を行っても企業組織そのものが機能しなければ根治療法ができないという考えによる。

ハラスメントにおいては、相談を受けた場合の対処が極めて重要である。相談を受けた側が相談者を否定したり責めたりすることは「セカンド・ハラスメント」に当たるとして問題視されている。親身になって話を聞かない[◆1]、加害者をかばう[◆2]といった応答は、勇気を出して相談した側に、相談がムダだったという無力感を与える、非常に悪質な対処ですらある。セクシュアル・ハラスメントの事例では、相談の場面でセカンド・ハラスメントが発生しやすい[◆3]ことに特に注意が必要である。

◆1
他人事のように「そうなんだ。まあ色々あるよね」と聞き流したり、「ストレスなんてみんな感じているよ」「仕事ってそういうものだよ」と一般化するといった応答が該当する。

◆2
加害者について「あの人はそんな人じゃないよ」「悪気はないと思うよ」と言ったり、相談者を落ち着かせようとして「あなたの気にしすぎでは」「私の若い頃はもっとひどかった」と言ったりするなど。

◆3
「そんな格好（ふるまい）をしたあなたにも責任がある」「あなたが愛想よくしたことが誤解を招いた」など。

17-1 水俣病と技術者

日本の公害

組織の一員として、また、専門技術者として、被害の拡大を防止するために、技術者は何ができただろうか。

1956年、水俣市内に住む5歳の少女が歩行障害、狂騒状態などの症状で、チッソ附属病院に運ばれ入院した。その後、同様の症状の患者が見つかり、細川院長は水俣保健所に、「原因不明の疾患の発生」を報告した。調査の結果、水俣湾周辺の漁村に約30人の患者が見つかった。熊本大学は研究を開始、病気は汚染された魚を食べたことによる中毒という見方を示した。翌1957年、水俣保健所では、水俣湾の魚介類を猫に食べさせる実験を行い、猫が発症したことから、汚染の原因として、チッソ水俣工場の排水に疑いが向けられた。

チッソの西田工場長は、当初、アセトアルデヒド工場の排水を疑ったが、戦前の生産量と比較して生産量が増えておらず、また、他社の工場では水俣病が発生していないことから、工場が原因ではないと確信する。徳江技術部長も、希釈すればどんなものでも毒性を示さなくなると考え、水俣病と工場排水との関連を否定した。1958年には、水俣湾につながる百間排水口から、水俣川河口へ排水口が変更され、広い不知火海へと排水が流された。その後、被害は拡大することとなる。

1959年、熊本大学は水俣病の原因物質を有機水銀とする「有機水銀説」を発表した。しかし、チッソの工場技術部は、製造過程で無機水銀から有機水銀化合物ができることを否定し、爆薬説やアミン説を持ち出し、強硬に反論した。一方、チッソ附属病院では、細川院長が、工場排水を直接、猫に飲ませる実験を行っていた。400号とされたこの猫は水俣病と同様の症状を発症する。報告を受けたチッソの市川技術部次長は「一例だけで発表するのは危険」だとして、公表を見送った。のちに水俣病隠しとして非難される。

1961年、チッソ入社1年目の新人技術者石原は、工場排水の中から、有機水銀を結晶として取り出す実験を成功させる。この結果は水俣病と工場排水の関連を証明する重要な実験結果だった。しかし、報告を受けた上妻技術部次長は、すぐに公表すべきとは考えず、発病のプロセスも含めて完璧な答えが出てから発表するよう指示し、石原は研究を継続した。翌年、大規模な労働争議が発生し、研究は中断され、研究成果は公表されなかった。水俣病の原因がアセトアルデヒド工場の排水だとする証拠は示されず、工場は操業を続け、被害は拡大した。1965年には、新潟水俣病が発生することとなる。

★事例の出典：原田正純『水俣病』岩波新書（1972)、NHK取材班『戦後50年その時日本は（3)』NHK出版（1995)、高峰武編『水俣病小史』熊本日日新聞社（2008)、有馬澄雄・内田信著／水俣病研究会編『水俣病事件の発生・拡大は防止できた』弦書房（2022)。

POINT 組織の中で、技術者が適切な判断を下し、被害を減らすためにできること。

1968年、国は水俣病の原因がチッソの工場排水であると認める公式見解を発表し、水俣病を公害病と認定した。[◆1]その後の裁判では、「化学工場は地域住民の生命・健康に対する危害を未然に防止すべき高度の注意義務を有する……注意義務を怠らなければ、危険性について予見することが可能であり、被害を最小限にくい止めることができた。」としてチッソの過失責任が認められた。公害は科学技術が過酷な健康被害をもたらした事例である。[◆2]その事実を重く受け止め、教訓としていかねばならない。水俣病では、企業の責任、国の規制、認定の問題、補償のあり方等々、多くの問題があるが、ここでは、技術者の判断が適切だったのか、被害の拡大を防げなかったのかに焦点を当てて考察する。

戦前の生産量との比較から工場が原因ではないとした西田工場長の当初の判断は、一見するとその時点においては妥当な判断のようにも見えるかもしれない。しかし、この判断は「工場が原因ではない」という結論ありきで都合のいいデータを持ち出しているため、

◆1
すでにチッソがアセトアルデヒドの生産を終了した後でのことであり、水俣病が公式に確認されてから12年たっていた。翌年、患者とその家族たちは損害賠償を求めチッソを提訴し、1973年、熊本地裁は原告の訴えを全面的に認め、1人あたり1600万円～1800万円の賠償を支払うよう命じた。

◆2
水俣病は、新潟水俣病、イタイイタイ病、四日市ぜんそくとともに四大公害病と言われる。高度経済成長期における経済成長優先の社会が招いた負の遺産である。
政野淳子『四大公害病』中公新書（2013）。

「利己主義」的で「狭い視野」に陥っている[3]。むしろ、戦前の生産方法との違いはなかったかに目を向けるべきだったろう[4]。また「希釈すればいい」という判断も一見妥当に見えるかもしれないが、有機水銀は生物の体内に蓄積され、食物連鎖によって生物濃縮が起こるため、濃度だけではなく総量も考慮すべきだった。猫実験についても、「一例だけでは危険」という市川技術部次長の判断は技術者として正しいように見える[5]かも知れない。しかし、猫の数を増やして行った２回目の実験結果も不確実だとして公表しなかった点からも、この判断も偏っていたことが分かる。最初の判断に固執して「工場が原因である証拠はない」から「工場が原因ではない」とする姿勢が被害拡大させてしまった。石原の実験の段階では工場排水に対する疑いは強まっていた。実験結果が公表されていれば、被害の拡大防止につながったかもしれない。技術者たちは会社のために不利な情報を隠そうとしたのかもしれない[6]が、それは本当に会社のためになったのだろうか[7]。原因究明に協力して被害を減らすことの方が会社の利益にもなったのではないだろうか。

◆3
責任の遂行を妨げる思考傾向には注意する必要がある。
☞ 基礎知識 07-g「責任への障害」

◆4
助触媒を変更したことが、メチル水銀の排出量を増やした原因であったことが後に解明される。
西村肇・岡本達明『水俣病の科学　増補版』日本評論社（2013）。

◆5
研究結果の公表に関しては、確実性だけでなく重要性も考慮する必要がある。
新田孝彦・蔵田伸雄・石原孝二『科学技術倫理を学ぶ人のために』世界思想社（2005）198-222頁。

◆6
多くの技術者が組織の意思決定に追随してしまう「集団思考」に陥っていたのかもしれない。
☞ 基礎知識 07-g「責任への障害」

◆7
「無批判的な忠実」は組織の利益に反する結果を招く場合がある。組織の長期的な利益を考えた「批判的な忠実」も必要となる。
☞ 基礎知識 04-b「組織における個人」

17-2 カネミ油症事件

日本の公害

日本最大の食品公害。被害者はなぜ50年以上にわたって苦しみ続けねばならないのか。

1968年夏ごろ、カネミ倉庫株式会社が製造販売した食用油を摂取した人に、西日本を中心に健康被害が大量に発生した。主な症状は黒い吹き出物やがん、内臓疾患、死産や早産などで、全身の肌が黒い赤ちゃんも生まれ、大きな社会問題にもなった。被害の届け出者は翌年までに約1万4000人に上り、「国内最大の食品公害」と呼ばれる規模となった。

原因は、製造過程中の粗製油を脱臭するために加熱する工程において、熱媒体として使用していたPCBが食用油本体に混入したことだった。その後、PCBは熱反応によってダイオキシン類のポリ塩化ジベンゾフラン（PCDF）を生成していたことが明らかにされ、1984年ごろには油症の主要な発症因子がPCDFであることが判明した。その結果この事件は、「人類初のダイオキシン類による食中毒事件」とも呼ばれることとなった。

その後被害者は現在に至るまで多大な苦しみを余儀なくされている。1つには、PCBおよびダイオキシン類による症状の治療法がいまだ確立されていないことが挙げられる。被害に対する補償に関しても、被害者は過酷な仕打ちを受け続けている。被害者が保償を受けるには国による認定が必要だが、2022年

12 月 31 日現在で認定されたのは 2367 人に留まる。しかも認定患者が保証を受けるまでにも、PCB 混入の過程や過失の所在をめぐって裁判が 12 年も迷走した。そのうえで被害者が原因企業であるカネミ倉庫から受けた保証は、当初は 1 人当たり 22 万円の一時金と見舞金 1 万円、そして医療費の一部の支給のみだった。また、国による補償を巡っても被害者は苦しめられることとなる。この食中毒事件の発生に先立つ 1968 年 2 ～ 3 月、西日本一帯の養鶏場で 40 万羽の鶏が大量死した。その原因がカネミ倉庫製の食用油の副産物を使用した飼料であることを福岡肥餌料検査所は把握していたが、食品を扱う厚生省（当時）に通報していなかったのである。裁判所は当初国の責任を認め、国は患者に仮払金を支払った。しかしその後裁判所は国の責任を否定し、1997 年より国は仮払金の返還を患者に求め始めた。多くの患者は年老いて収入もなく、返済の重荷に苦しめられることとなった（2007 年 6 月に特措法によりようやく免除）。

なお、健康被害は食用油を直接口にした被害者だけでなく、その子や孫の世代にまで及んでいる。国は 2021 年にようやく、次世代の健康実態調査を開始している。

事故を防ぐのは法的責任なのか、倫理的責任なのか。

カネミ油症事件の被害者は長期にわたる健康被害に苦しみ続けるだけではなく、長期化した裁判に翻弄され賠償が遅れ、また受け取った保償も極めて不十分なものであった。このような経緯から、工学倫理上のいかなる教訓が得られるだろうか。

被害の原因はPCBが混入した食用油だった。当時は製品によって損害を受けた使用者が製造者に損害賠償を請求するには、製造者の過失の立証が必要だった。しかしその点をめぐって裁判が迷走し、被害者への賠償が遅れる要因となった。製造物責任法（PL法）の施行後であれば、立証が必要なのは製品の欠陥のみであり、被害者はもっと早く救済されていた可能性がある☜。

基礎知識03 ☜「製造物責任について知るべきこと」

PCBの使用自体に関してはどうか。当時PCBは、熱に強く化学的に安定した物質とみなされて広く使用されていた。PL法では引き渡し時の科学的知見では製品の欠陥を認識できなかった場合、その欠陥に対する責任は免れるとされる。これによれば、当時熱媒体としてPCBを製品化して販売した化学薬品メーカーは、法的責任を問われることはない。しかし民事訴訟の１つの第一審では、自然界に存在しない合成化学物質を製造販売する企業は、人体や環境に対する影響を自ら進んで調査研究する安全確保義務があるとした。この判断は控訴審で退けられたが、たとえ法的に無効であるとしても、倫理に関する示唆を与えるところはないだろうか。

次に、この事故に先立って鶏に大量死が発生した際に、福岡肥飼料検査所はカネミの工場を立ち入り検査し、事故の状況を把握していた。この時点で食品を所管する厚生省に通報していれば、人への被害を減らせた可能性がある。検査所にそうする責任があったのか。裁判では最終的に国の法的責任を否定した。しかし倫理的にはどうなのだろうか。

1979年には台湾でほぼ同様の油症が発生した。ハインリッヒの法則や失敗学でも、事故の再発防止は工学倫理上の重要な責任事項である。事故を防ぐには法的責任を果たすだけで十分なのか。倫理的責任は法的責任と同じなのか。カネミ油症事件はそのような課題を我々に突き付けているように思われる。

---

(1) 杉本泰治・高城重厚『大学講義　技術者の倫理　入門』第５版、丸善株式会社（2016）

工学倫理の基礎知識

II

安全について知るべきこと

安全性の確保は技術者が果たすべき最も重要な責任である☞。しかし、技術者のつくるものが、100％安全ではあることは実はほとんどありえない。安全性を高めようとすれば、コストがかかり、機能も落ちる◆1。使用することによって生じる摩耗や劣化も避けがたい。また、技術の進歩は新製品を続々と生み出す。今までなかったものの安全性を、前もって確立することはできない◆2。だから、技術者も製品の使用者もある程度のリスクは、コストや機能等のトレードオフで引き受けざるを得ない。しかし、事故の危険性が高いことが前もってわかっているのに、それを知らされずに危害を被ることは倫理的に認められない☞。そこで、どれだけ安全なら十分なのか、ということが重要な問題となる。

a 安全とリスクの定義

まず、安全とリスクの定義を見ておこう。安全とは一般に「危険のないこと」である。しかし、上述のように製品には完全な安全性はあり

文献と資料 ☞
技術士の倫理綱領

◆1
より頑丈な自動車を作ろうとすれば、重くなり、性能も悪くなる。飛行機の場合は、重すぎて飛ぶという本来の機能を果たすこともできなくなる。ただし、コストや機能に影響せずに、デザインを工夫することによって安全性を高めることも可能な場合もある。

◆2
技術が社会的な実験という性格を持つとすれば、実験には常にリスクが伴うことになる。☞基礎知識 08-c「社会的実験としての技術」

事例分析 02-1 ☞
「フォード・ピント事件①」

えないとすると、安全とは危険の可能性（リスク）が無視できるくらい小さいか、「受け入れ不可能なリスクがない」ことになる。リスク[◆3]の定義としては次の式がよく用いられる。

リスク＝[危害の大きさ]×[危害の発生確率]

私たちは、生じうる危害がより小さくて、発生する確率がより低いものを、より安全なものと考えるだろう。

◆3
【リスク】
生命の安全や健康、資産や環境に、危険や傷害など望ましくない事象を発生させる確率、ないし期待損失。

b 安全性の向上

そこで、危害の発生確率を小さくすること、危害の規模を小さくすることが、安全性を高めるために必要になる。これを行うために、設計段階においては**フールプルーフ** fool proof と**フェイルセーフ** fail safe という設計思想が用いられる。フールプルーフ設計とは、事故の原因となる人間の誤操作を減らし、危害の発生確率を小さくする設計思想である[◆4]。また、フェイルセーフ設計とは、故障が起きても安全側に作動したり止まったり、一部が故障しても大事には至らないようにし、危害の発生規模をできるだけ小さく抑えるための設計である[◆5]。また、危害の発生確率は小さくても、いったん危害が生じればその規模が大きいと考えられる原子力発電所などでは、安

◆4
色分けや形を変えて、作業者がミスをしにくいようにしたり、間違った操作ができないようにしておいたり、作業ミスが生じたときに警告を発し、その先の作業に進めないように設計する。例：プレス機のスイッチを左右同時に押さないと動かないようにして、手を挟まないようにする。自動車のブレーキを踏まないとギアをPから変えられない。FDを正しい向きにしか入らないようにする。など。

◆5
例：運転手がペダルを踏んでいるときだけ列車が走る。航空機は、機体の一部に亀裂が入っても全体に拡大せず、エンジンが一つ故障しても飛行が可能であるように設計されている。☞ 事例分析 03-1「日本航空ジャンボ機墜落事故」

全対策を何段構えにもする**深層（多重）防御** defense in depth の設計思想が用いられる。防御を多階層にし、種類の異なる防護策を組み合わせる深層防御は現代の巨大技術システムには欠かせない。しかし、このような設計は万全ではない☞。フェイルセーフで設計しているから、一部に不具合があっても大丈夫だとか、フールプルーフになっているから、少しぐらいミスしても大丈夫という人間の側の過信が危険なのである。

事例分析 03-1 ☞「日本航空ジャンボ機墜落事故」

c リスクアセスメントとリスクの低減

安全を高め、リスクを減らしていくには、リスクアセスメントを行い、適切なリスク低減の方策を行う必要がある。リスクアセスメントは、機械類の制限の決定、危険源の同定、リスク見積もり、リスクの評価という一連の作業である。機械の可動範囲や寿命等を考慮し、意図する使用と合理的に予見可能な誤使用に配慮し（機械類の制限の決定）、機械によって引き起こされる可能性のある危険源を同定し、危害の大きさと発生確率からリスクを見積もる。許容可能なリスクレベルかどうかの評価を行い、リスク低減が必要かどうかを決定する。リスクの低減が必要な場合は、3

ステップメソッドに基づき、本質的安全設計方策、安全防護策（付加保護方策含む）、使用上の情報の３方策の順でリスク低減を行う（図1）。本質的安全設計とは、危険源を除去するか危害の度合が小さくなるように設計することであり、安全防護とは、除去できない危険源または低減できないリスクから、ガードや制御によって人を保護することである。使用上の情報とは、上記二つの方策によっても残留するリスクについて、警告や警報、取扱説明書等にてユーザーに知らせることである。[◆6]この３方策には優先順位があることに注意しなければならない。まず、可能な限り機械そのものの危険性を小さくし、その上で補助的にガードやセンサーによる制御を行い、さら

◆6
国際安全規格ISO12100（機械類の安全性－設計原則）

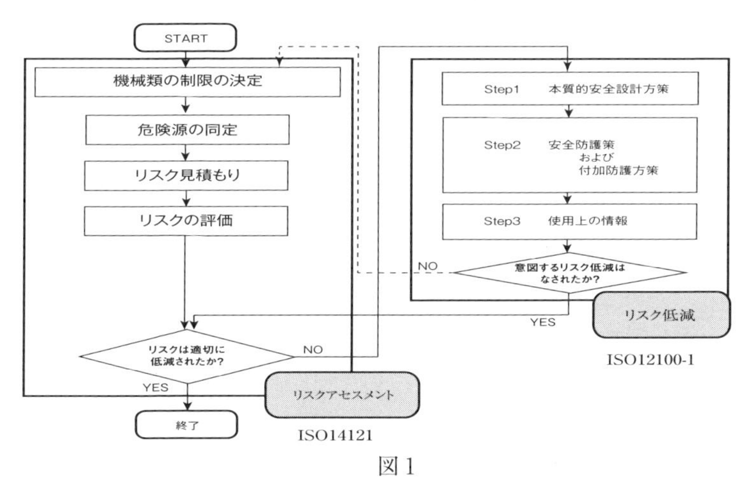

図１

に警告、注意を行うという順番が重要である。対処できるリスクをそのままにして、注意書きさえしておけばいいというものではないし、制御のみに頼るのも危険である。[7]

◆7
六本木ヒルズ回転ドアの事故では、ドアの重量を軽くしたり、挟まったときに折れる構造にしたりしてドアそのものの働きを安全にする「本質安全」ではなく、センサーを用いていて機械を制御する「制御安全」に頼ったことが、要因の一つとされる。
事例分析 05-2 「六本木ヒルズ回転ドア」
畑村洋太郎「失敗学実践講義」講談社、2006 年

d 受け入れ可能なリスク

では、「どれだけ安全なら十分に安全だろうか。(How safe is safe enough?)」むろん、できるだけリスクを減らし、より安全性を高めるべきではあるが、リスクが0になることはないとすれば、何らかのリスクは受け入れざるを得ない。では、受け入れ可能なリスクはどこまでだろうか。その際に用いられるのが、**リスク便益分析** risk-benefit analysis である。技術は私たちに経済的利益や生活の利便性といった便益をもたらすが、そこにはリスクも伴う（自動車、航空機、原子力発電所等)。技術のリスクと利益の関係を調べ、金銭的な価値に換算して、受け入れ可能なリスクを算定するのがこの分析である。アメリカで社会的に受容されてきたリスクと利益の関係を統計的に研究したスター[8]によると、(図 2)

◆8
Starr, C. Social benefit versus technological risk,1969, Science, 165, 1232-1238.

(1) リスクの受容は便益の大きさの３乗に比例する。人々は、利益が２倍になれば８倍のリスクを受け入れる。逆に言うと、利益が

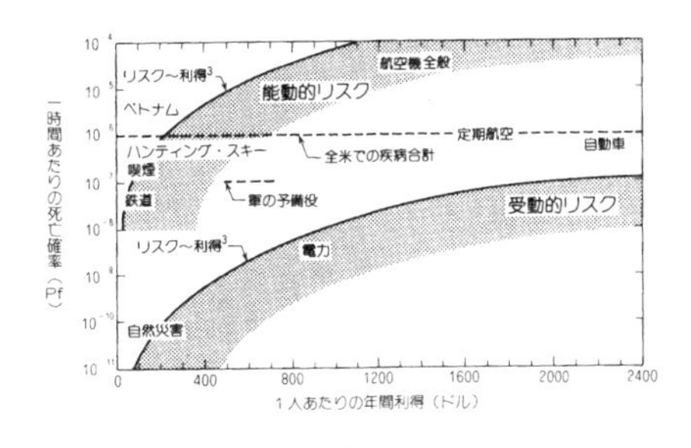

図２
Starr. C. Social benefit versus technological risk, 1969, Science, 165, 1132-1238. 岡本浩一『リスク心理学入門』1992、p.12

大きくなるとリスクの評価が甘くなる。

⑵ 自発的なリスク voluntary risk は受動的なリスクの 1000 倍許容される。喫煙やスキーのように自分の意志で受けるリスクは高くても許容されるが、電力やゴミ処理場のように生活の場で避けがたいリスクはきわめて小さくしなければ受け入れられない。

リスク便益分析は、リスクの社会的な受容を考慮する際に有効な方法ではあるが、問題もある。まず、すべてのリスクや便益を金銭に換算できるとは限らないこと。環境や生命に金銭的な価値を査定することは困難であるし、心理的な抵抗も大きい。また、リスクと便益の受け手が異なる場合は、この方法で調整することはできない。水俣病のような公害のケースでは、利益を受ける側と被害を受ける側が激しく対立することになる。リスク便益分析は功利主義的な方法であり、少数の不利益が多数の利益によって正当化されるなど、その難点も含んでいる。

e リスク認知とリスクコミュニケーション

受け入れ可能なリスクを考えるには、私たちがどのようにリスクを認知しているのかを知る必要がある。リスクの認知には、定量的に測定できない価値判断や主観性が含まれる。スロヴィック[◆9]によれば、私たちのリスクのイメージは恐ろしさと未知性の二つの因子から成っている。この二つの因子が高いリスク（放射性廃棄物、遺伝子工学等）は過大視されやすくなる。リスクの受け入れにはインフォームド・コンセント[◆10]が必要なのである。そこで専門技術者が一般の人々に情報を提供し説明することが必要になる。しかし、専門家には、直接的、部分的影響しか考慮しない傾向があり、過去の経験の蓄積のために新たなリスクの判断を誤るベテラン・バイアスがかかっている。技術の及ぼす影響が広く多様になっている現代社会では、専門技術者も多様な判断、価値観を知ることが適切なリスクの管理につながる。そこで技術に関する双方向のコミュニケーションが必要となる。「個人、集団、組織間のリスクに関する情報と意見の相互的な交換の過程」であるリスク・コ

◆9
Slovic, P. Perception of risk, 1987, Science, 236, 280-285. 岡本浩一『リスク心理学入門』サイエンス社（1992）参照。

◆10
よく知られた上での同意。医療や生命倫理学の分野でよく用いられる。

ミュニケーション[11]が求められる。

f ハインリッヒの法則と安全文化

リスク情報の報告と迅速な対処は、安全性を高める上で、極めて重要である。労働災害における経験則の一つにハインリッヒの法則[12]がある。一つの重大な事故の背後には29の軽微な事故があり、さらにその背後には300のインシデント（事故に至らなかった出来事[13]）がある（図3）。事故を減らすには不安全な行動や状態を認識し、インシデントを報告することが大切である。また、そのような報告がしやすい環境、報告にしたがって、迅速に対応する姿勢が必要である。小さな失敗を不用意に隠さず活かしていく「安全文化」を作り上げていくことが重要である[14]。それには、技術者の安全に対する意識と倫理観が必要なのである。

◆11 National Research Council, Improving risk communication, 1989, National Academy Press. 吉川肇子『リスクとつきあう 危険な時代のコミュニケーション』有斐閣選書、第２章参照。

◆12 1930年代、アメリカの保険会社に勤務していたハインリッヒが労災事故の発生確率を調査したもので、「1:29:300の法則」ともいわれる

◆13 「ヒヤリハット」(ヒヤリとしたり、ハッとする危険な状態)とも言う。

◆14 リーズンは、安全文化の特徴を、①報告する文化②正義の（公正な）文化③柔軟な文化④学習する文化の４点あげる。
J･リーズン「組織事故」、日科技連、1999年

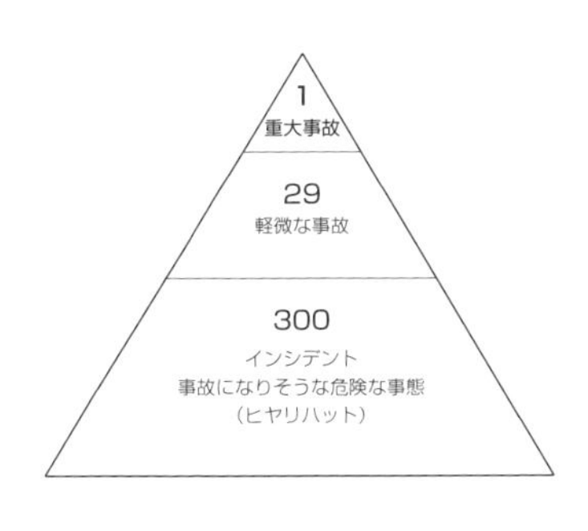

図3

知的財産権について知るべきこと

情報は目に見えず、手で触れることのできない財産である。目に見えるモノ[◆1]のように、盗まれてそれとわかるようなものでもない。それゆえ一定のルールに基づいて「財産権」を管理しなければならない。さまざまな「財産権」の制度があり、「知的財産権」とはその総称である。工学者が心得ておくべきものは特許、著作権、トレード・シークレット（営業秘密）☞の三つだが、ここでは特許と著作権について、さらに知るべきことを述べる。

◆1
本や各種記録メディアのような目に見えるモノを法律では「有体物」、そうでないものを「無体物」と呼ぶ。そこで「知的財産権」は、「無体財産権」とも呼ばれる。

事例分析 10-1 ☞「転職のモラル 新潟鉄工事件」

a 特許と著作権の比較

①特許は「アイデア」、著作権は「表現」

特許の対象は「発明」だが、製品となった発明品が特許の対象となるのではない。製品の実現のもととなるアイデアが特許の対象になるのだ。特許の権利とは、つまるところ、アイデアの実現を管理する権利のことだ。

一方、著作権は、「表現」についての権利を主張する。「表現」の複製を管理する権利、それが著作権だ。

②特許は登録制、著作権は「無方式主義」

特許は出願を行い、審査を経て、特許登録が認められて初めて権利を主張することができる。特許の有効範囲も出願国に制限される。

それに対して著作権は、通常アピールする必要はない。何か絵を描いたり文を書いたりプログラムを組んだりすれば、自動的に著作権が発生する。これを「無方式主義」ともいう。著作権の有効範囲は国境に制限されない。◆2

③特許では「有用性」が問われる

特許として認められるには、すでに周知のものでないことはもちろんとして、「自然法則を用いた発明のうち、高度なもの」という要件がつく。ちょっとした思いつきというのではだめで、有用であることが証明できなければならない。

一方著作権にはこのような制限はない。高度な芸術作品であろうが、ノートに描いた落書きであろうが、区別なく著作権が発生する。

④特許は「産業の発展」、著作権は「文化の発展」をめざす

知的財産の保護という発想は、発明者（開発者）または創作者に「インセンティブ」◆3を与えるという発想である。

特許制度がなければ、多額のコストとリス

◆2
実際にはこれは、著作権の国際的取り決めである「ベルヌ条約」加盟国の間にだけにあてはまる。ベルヌ条約未加入のカンボジアのような国では、海賊版を取り締まることはできない。

◆3
incentive
動機、動因。褒賞・奨励を与えてある行動を促進させること。

クを投じて新製品を開発するより、すでにある技術に「ただ乗り」したほうが効率がよいということになる。技術発展は停滞しかねない。

また、著作権制度がなければ、常に剽窃のリスクがあるということで、創作者は自分の作品の公開を控えるようになるかもしれない。文化水準は停滞しかねない。

知的財産の保護は、権利者の利益を守ることだけを目的とするのでなく、広く社会全体の利益を守ることを目的としているということを再確認しておこう。

b 特許についてもう少し

①何のための特許か

特許制度が産業の発展に寄与する仕方は二つある。

上に述べたように、一つは、権利者にインセンティブを与えることで技術開発を促進することだが、もう一つ見過ごされてはならない側面がある。

一定の手続きを経て特許として認められた技術情報は、データベースに登録され、一般に公開され、相応の対価を支払えば誰でも利用可能になる。発明者には特許使用料が入り、それが次の発明の資金となる。だが一方で利用者も、無駄な開発投資を避け、最新の技術水準にアクセスできるという利益を手にする。ファーストランナーによる技術開発、技術公開による革新的技術の普及、それによるフェアな技術競争という「知的創造サイクル[◆4]」がここに生まれる。

◆4
上山明博『プロパテント・ウォーズ』文春新書、20頁

②「プロパテント」が空騒ぎに終わらないために

だが特許という制度は、市場独占の危険性をはらんでもいる。現代は「プロパテント時代」だと言われる。特許（パテント）支持的（プロ）、つまり特許を重視し、保護・強化をはかる。主導するのはアメリカだ。ITやバイオという先端分野の技術力でアメリカは世界をリードしているが、その技術を「特許」でさらに囲い込もうとしているともみえる。技術は独占され、ライバルを寄せ付けない。「持てるもの」は技術競争の動機を失い、革新的技術から取り残された「持たざるもの」は、技術競争の力を失う。悪循環である。これは本来の特許制度の趣旨とは違う。

「プロパテント」のアメリカでは、訴訟を通じて、従来の特許範囲を超える、さまざまな画期的特許が認められてきた。遺伝子導入ネ

ズミや数学の解法、ビジネス・モデル、それに個人のゲノム情報[◆5]。学術的情報でさえ共有財産だと安心していられなくなった。大学が特許獲得数を競う時代だ。だが特許の範囲の節度なき拡大は、産業促進を本来の目的としていた特許制度の意義をあいまいにしかねない。

◆5
例えば、ガンになりやすい遺伝子を組み込んだネズミ（1984年）、カーマーカーによる線形計画法の「新しい」解法（1988年）、シグネチャ社による投資管理方法（1998年）がアメリカで特許として認められている。2000年には日本の特許庁で、いわゆる「個人差DNA」を特許対象とする方針が発表された。

c 著作権についてもう少し

①著作権の「危機」

著作権は表現のアイデンティティを保護する。著作権制度とは、自分の著作物を他人の勝手にさせないための制度であり、とりわけ「複製」の権利を著作者の専有と規定する。著作物（の何らかの配布形態）の所有者に本来許されるのは、それを享受することだけで、それに手を加えること、複製することは許されない。

実際には、著作物の「私的複製」、つまり個人的用途のためにのみ複製することは、著作権法の中で例外として許容されていた。だがコンピュータとインターネットの普及は、「私的」複製が著作権を脅かす状況を作り出してしまった。

②デジタル・コードというメディア

ところで表現が「頭の中」にある間は管理の必要がない。必要になるのは、表現が著作者の手を離れて、他人の目や手に触れるようになってからだ。そうなるためには表現は目に見える媒体（メディア）に記録されなければならない。メディアが表現を運ぶ。著作権侵害の可能性が生まれるのはここからだ。

さて、「メディア」にはさまざまな種類がある。小説は紙と製本された書物が運ぶ。音楽はレコードや記録メディアが運ぶ。書物も記録メディアも、「メディアごと」複製するには相応のコストがかかるが、メディアが運んでいる情報だけなら、複製は比較的容易だ。といっても複製のたびに質は劣化し、商品価値もさがる。複製物の再頒布も、おのずから制限される。そこでこの場合、コピーからのコピーはやり過ごして、オリジナルからのコピーだけを管理すれば、とりあえず問題はない。

だがコンピュータとインターネットが運ぶ情報は、いわばメディアと一体化している。あるいはメディアに拘束されないというのが正確だろうか。ハードディスクもUSBメモリも、それ自体にメディアとしての特異性はない。むしろデジタル・コードそのものが、この場合でのメディアというべきだ。というのも元の情報の再現に必要なのは、0と1の並びのみだからだ。ここには複製による質の劣化などありえないばかりか、インターネットは「私的」複製者による効果的な再頒布の方法を用意してしまった。「違法コピー」はインターネットを通じて全世界規模で私的に交換可能になった。著作権権利者はかつてない脅威にさらされるようになった。

③インターネット時代の著作権

問題なのは「違法コピー」しがちな弱い人間性なのだろうか、それとも著作権という制度に無理が生じてきたのだろうか。違法コピーに対してさまざまな対抗策が構想されている。もっとも強硬なのは、ソフトウェアの違法コピーに対抗すべく結成されたソフトウェア協会の活動[◆6]だ。著作権侵害に対して権利者に告訴を促し[◆7]、また報奨金を掲げて内部告発を積極的に推奨している。違法コピーを犯罪ととらえ、その「撲滅」キャンペーンを張る。

もう一方の極端は、（少なくともインターネット上では）すべての情報を共有すべきだという考え方[◆8]だが、現実性を欠いているのは否めない。学術情報、政府情報など、共有さ

◆6
アメリカではソフトウェア出版協会やビジネスソフト・アライアンス（BSA）、日本ではコンピュータソフトウェア著作権協会（ACCS）など。

◆7
著作権侵害は権利者の告訴がなければどのような法的措置もとれない。

◆8
その例としてはEMACSの作者で有名なプログラマー、リチャード・ストールマンの提唱する「コピーレフト」の原則がある。

れるのがふさわしい種類の情報もあるが、音楽や小説など、商業利用が当たり前の情報もある。私的複製による潜在的リスクの多いインターネットで、それでもそれらの情報を、商業目的でインターネットで流通させたいと思う事業者が多くいる。彼らに現行の著作権法制度は、もはや有効なものではおそらくない。インターネットの登場によって、「著作権」という制度は根底から揺さぶられはじめたといえる。新時代にふさわしい「著作権」の本質が明らかになるまでには、さまざまな試行錯誤が重ねられなければならないはずだ。自ら考えてみることがここでは要求されている。

製造物責任法について知るべきこと

製造物責任法（PL 法）は、製品の欠陥に関する損害賠償責任を定めた法律で、1995 年 7 月 1 日に施行された。以下、a. この法律の目的や背景、そして、b. 製造者である技術者がどのような注意を払っていかなければならないか、を見ていこう。[◆1]

◆1
製造物責任法の条文については、巻末の資料を参照。
第二条 1 項の「製造又は加工された動産」に関して、また、不動産（住宅）に関して 2000 年 4 月に施行された法律について、☞事例 07-2「欠陥住宅」参照。
なお、製造物責任法の施行後、訴訟が特に急増してはいない。この法律が与えた影響として、企業の安全性向上への取り組み、生活センターや PL センターといった ADR（Alternative Dispute Resolution, 裁判外紛争解決機関・制度）の整備などが挙げられる。
法と倫理の関係については、たとえば杉本・高城『大学講義　技術者の倫理　入門』第 5 版、丸善（2016） 第 1・9 章参照。

a 製造物責任法の目的と背景

①製造物責任とは？

「製造物責任（Product Liability）」とは、「製品の欠陥が原因で、消費者が身体・生命・財産上の損害を被った場合に、その製品の製造者（供給者・販売者）が被害者に対して負わなければならない損害賠償責任」のことであり、製造物責任法は、製品の欠陥によって被害を受けた消費者を救済するのが目的の法律である。

では、なぜ消費者は保護される必要があるのだろうか？

②守られるべき弱い消費者

市場の競争メカニズムの中では、消費者が

品質や価格に満足し商品を購入しなければ、製造者は存続することができない。この点では消費者は強い存在である。

しかし、その一方で、現代では製品の製造過程は複雑になってきており、特に化学製品や機械の欠陥を消費者が自分でチェックすることはそう簡単ではない[◆2]。だから消費者は、製造者がきちんと作ってくれていることを信じて製品を買うしかない。

このように消費者は、究極の決定権を持つ王様であるが、しかし同時に、保護されるべき弱い存在でもあるのだ[◆3]。

さて、製造物責任法はどのように消費者救済の道を開いたのだろうか。

③過失責任から無過失責任（厳格責任）へ

消費者が製品の欠陥によって被害を受け、メーカーの製造物責任を問い損害賠償[◆4]を求める裁判を起こす場合を考えてみよう。

（契約関係がない場合の）損害賠償については民法の第七〇九条に定められている（不法行為法と呼ばれる）。

> 民法・第七〇九条「故意又は**過失**によって他人の権利を侵害した者は、これによって生じた損害を賠償する責めに任ずる」

この法律によれば、被害者である消費者が

◆2
それほど複雑ではなくても、たとえば冷凍食品や缶詰の安全性をあらかじめ確認することは無理である。

◆3
『岩波講座・現代の法13・消費生活と法』岩波書店（1997）vii頁。
PL法と並んで消費者保護の柱となる「消費者契約法」が2001年4月1日に施行された。

◆4
他人の権利を侵害したことに対する損害賠償責任を定めた法律は「民法」であり、PL法は民法の特別法である。それに対して犯罪と刑罰を定めたのが「刑法」である。
たとえば車でひとを轢き殺してしまった場合には、民事責任（損害賠償責任）と刑事責任（業務上過失致死罪）の両方が生じる。また、行政上の処分（免許の停止・取消し）も行われる。

損害賠償を請求する場合には、製造者の「過失（不注意・注意義務違反）」を証明しなければならない（故意・過失のあった場合のみ責任を負わせるという「過失責任の原則」である）。しかし、企業の部外者でありまた専門的知識をもたない消費者が、設計や製造のどの段階で「過失」があったかを調べるのはほとんど不可能だろう。したがって、製造物責任に関しては、「過失責任」の原則が被害者救済の大きな障壁となっていたのである。

この点で消費者の負担を軽減するためにできた法律が製造物責任法である。

> 製造物責任法・第三条「製造業者等は、…**製造物…の欠陥**によって他人の生命、身体又は財産を侵害したときは、これによって生じた損害を賠償する責めに任ずる」

不法行為法では「過失」だったものが「製造物の欠陥」に変わっているのがわかる。したがって、消費者が製造物責任法によって損害賠償を求める場合には、製品に欠陥があったこと（と、その欠陥によって損害が生じたこと）[◆5]を証明しさえすればよいのである[◆6]。このような考え方は、過失の有無を問わずに製造者に責任を負わせるので、「無過失責任（厳格責任）」と呼ばれる[◆7]。

◆5
たとえば製品だけが燃え、他のものに被害が及ばなかった（「拡大損害」がない）場合には、製造物責任法は適用されない（第三条ただし書き参照）。

◆6
製造物責任法は民法と併存する（第六条参照）。製造物責任法に規定されていない部分については民法の規定による（金銭賠償の原則（民法四一七条・七二二条１項）、過失相殺（民法七二二条２項）、等）。また、製造物責任法によらずに従来通り民法七〇九条に基づいて、あるいは、その両方に基づいて責任を追及することも可能である。

◆7
セクハラ等における厳格責任について、加藤尚武『応用倫理学のすすめ』（丸善ライブラリー）丸善（1994）９章参照。
☞事例分析 16-2「米国三菱自動車訴訟」。

④製造物責任法の効果

このように製造者の責任を厳しく問う法律は、消費者保護を促進するだけでなく、次のような効果もある。

まず、企業は、責任を問われやすくなったため、より安全な製品を作ろうと努力するだろう。

また、運悪く欠陥製品によって事故に遭った人だけに被害の負担を負わせるのは残酷である。企業に賠償金を負担させることは、結局は製品の価格に上乗せされることになり、消費者全体で少しずつ損害を負担することになる。

b 製造者（技術者）が注意すべきこと

①欠陥[◆8]を防ぐ

企業（そして企業に勤める技術者）は、欠陥の無い製品を目指さなければならない。「欠陥」は、次のように3つに分けて考えるのが便利だろう。

(1) 設計上の欠陥

設計に欠陥があれば、当然全ての製品に欠陥が生じてしまう。設計の際に注意しなければならないのが、「設計者が意図した使用法」だけでなく、「消費者がしそうな使用法[◆9]」ま

◆8
欠陥であるかどうかの判断基準として、次のものが提案されている。
(A) 標準逸脱基準：製造物が標準の状態から外れていないか
(B) 危険効用基準：危険性が有用性を上回ってしまっていないか
(C) 消費者期待基準：消費者が期待する安全性を欠いていないか

◆9
「合理的に予見可能な使用法」などと呼ばれる。(第二条２項参照)

でも視野に入れ、危険の洗い出しをしなければならない、という点だ☞。

(2) 製造上の欠陥

設計に欠陥がなくても、製造工程での品質管理が不十分だと、一部の製品に欠陥が生じる。製造工程の各段階での検査を入念にすることが必要となる。

(3) 指示・警告上の欠陥

絶対安全な製品が作れない以上、消費者に対して、適切な使い方を指示したり危険の存在をあらかじめ警告することは重要だ。設計の段階でできるだけ製品の危険を除去し、どうしても残ってしまうものについては、適切な指示・警告でユーザーの注意を喚起する。「指示・警告」は「設計」と密接に結びついている。

②要求される安全水準◆10

製品には、政府や業界の安全基準よりもはるかに高い安全性が求められる☞。技術者は次のような諸条件を考慮しなければならない。(1) 行政の基準（消費生活用製品安全法・食品衛生法・建築基準法など)、(2) 業界の基準、(3) 他社の安全レベル、(4) 世界的視野での技術情報◆11、(5) これまでの事故や裁判◆12。

総論 ☞「工学の知識の特徴（複雑性)」

◆10
安全の実現のために技術者が考慮すべき事柄の範囲が広がっていることに関して、C・ウィットベック（札野・飯野訳)『技術倫理1』みすず書房(2000) 第3章参照。

事例分析 02-1 ☞「フォード・ピント事件①」
事例分析 05-2「六本木ヒルズ回転ドア」

◆11
第四条一号（「開発危険の抗弁」と呼ばれる）参照。また、◆17参照。
東京スモン事件では、アルゼンチンの医師がスペイン語で書いた副作用報告（1935年）の載った雑誌が1937年に東北帝国大学の図書館に入っていたため、1935年当時にそれらの情報が入手困難であったとは認められない、として、製造者に過失ありとされた。
開発危険の抗弁が認められる可能性は低いと考えられている。

◆12
「不法行為法のもとで蓄積された判例は、PL法のもとでの製造物責任について考えるための重要なデータであり、PL法のもとで判決がどのように変わるかという比較の観点が大切である」(杉本泰治『日本のPL法を考える』地人書館(2000) 7頁)。

③企業の総合対策の重要性

企業が存続するためにはできるだけ損失を防がなければならない。欠陥のない製品を作るのはもちろんのこと、万一、欠陥が明らかになったり製品事故が起こってしまった場合には、速やかな事後措置が必要となる。新聞などによる危険性の告知やリコール（製品回収）等である。こういった措置をすばやくすることは、なによりもさらなる事故を起こさないために必要なことであるが、他方、企業イメージを低下させないためにも重要なことである。適切な措置を怠れば、危険な製品を作る会社だと消費者は認識してしまい、一度低下した信頼を回復するのは困難である。また、従業員のやる気にもかかわるだろう。

さらに、消費者窓口を充実させたり[◆13]、生産物賠償責任保険（PL保険）に加入したりすることも重要だ。

企業は普段から、損失を防ぐための総合的な対策をする必要がある。

◆13
東京商工会議所編『企業を危機から守る クライシス・コミュニケーションが見る見るわかる』サンマーク出版（2001）といったマニュアルが出版されている。

c 最近の判決から

最後に、新聞で「刺し身は製造物　PL法適用」「店の製造物責任を認定」などと大きく報道された「イシガキダイ食中毒訴訟第一審判決」を見ておこう。[14]先に見たように、従来の不法行為法の「過失」という要件が製造物責任法によって「欠陥」に置き換えられたが、この判決は、この点を「実質的にも積極的に受け止めていく解釈を採用すべきだ、こうして被害者の立証の負担を軽減し救済を図ろうとした法の立法趣旨を重視すべきだ」という考え方に立ったものである。[15]

千葉県の料亭がイシガキダイをアライ（刺身を冷水で締めた料理）や兜等の塩焼きにして出したところ、シガテラ毒素が含まれており、食中毒が発生した。[16]客8人が製造物責任法に基づいて約3800万円の損害賠償を求め、東京地裁は料亭に約1200万円の支払いを命じた。

判決は、食材に手を加え、客に料理として提供できる程度に調理する行為は「加工」であり、食品に食中毒の原因毒素が含まれていれば、通常有すべき安全性を欠いているということであるから「製造物の欠陥」にあたる、と判断。また、免責されるのは、入手可能な世界最高の科学技術の水準でも欠陥が分からなかった場合に限られるのであって、既存の知識を総合すれば、毒化したイシガキダイが千葉県の海域で漁獲されることも予測できな

◆14
東京地裁2002年（平成14年）12月13日判決。詳細については、『判例タイムズ』1109号（2003年2月15日）285頁以下、『判例時報』1805号（2003年2月21日）14頁以下を参照。

◆15
『ジュリスト』1248号（2003年7月1日）所収「座談会　現代における安全問題と法システム（下）」94頁。

◆16
主に南方産の魚を摂取して生じる食中毒で、沖縄や奄美諸島で古くから相当数発生しているとされる。

いことではない、として、開発危険の抗弁[◆17]は妥当しないとした。

魚がシガテラ毒素を含んでいるかどうかは外見等からは分からず、加熱処理等によっても排除できないこと、また、加工の過程で毒素が付加・増加したのではないことを考慮すると、料亭側には厳しい判決であるとの意見もあると思われるが、この点について判決は、製造業者等は保険等に加入することであらかじめ危険を分散することが可能であり（現に料亭も5000万円を限度額とする食品営業賠償共済に加入していた）、損害の公平な負担という不法行為責任の基本原理から見て不合理であるとはいえない、と述べている。

なんらかの事故が起こった場合、社会の中の誰かが損害を負担せざるをえない。誰がどのように損害を負担するのが「公平」なのだろうか。イシガキダイ食中毒訴訟判決は、それを考えるためのきっかけになるだろう。

◆17
製造物責任法は、「当該製造物をその製造業者等が引き渡した時における科学または技術に関する知見によっては、当該製造物にその欠陥があることを認識できなかった」場合には、例外的に損害賠償責任を免除することを認めている（第四条一号参照）。これが開発危険の抗弁である。なお、◆11参照。

・三井俊紘・猪尾和久『PLの知識』（日経文庫）日本経済新聞社（1995）
・加藤一郎・中村雅人『わかりすい製造物責任法』（有斐閣リブレ34）有斐閣（1995）
・小林秀之責任編集・東京海上研究所『新製造物責任法体系II［日本篇］（新版）』弘文堂（1998）
・山田卓生編集代表・加藤雅信編集『新・現代損害賠償法講座　第3巻　製造物責任・専門家責任』日本評論社（1997）
・加藤雅信編『製造物責任の現在（別冊NBL no.53）』商事法務研究会（1999）
・池田真朗・犬伏由子・野川忍・大塚英明・長谷部由紀子『法の世界へ（第2版）』（有斐閣アルマ）有斐閣（2000）

ビジネス倫理について知るべきこと

a 企業の倫理

西洋には「ビジネスと倫理は両立しない」という古いことわざがあるそうだ。これはどういうことだろうか。ビジネスや企業の経営に携わっている人たちの関心は、製品の生産やサービスの提供や取引、売り買いなどによって、最大の利益を追求すること、すなわち、儲けを最大にすることだ。だから、ビジネスの世界に道徳的な考えや原則を持ち込むことは適当ではない。なぜなら、道徳的な考慮は、儲けにつながらないばかりか、儲けを少なくすることにもつながるからだ。ことわざの意味は、このように理解することができる。

企業の倫理（または、ビジネスの倫理、経営の倫理）ということが最も早くから（1970年代初め）取り上げられたアメリカでも、最初はビジネスの世界では否定的反応が多かったという。しかし、大企業の不祥事等が新聞紙上をにぎわせる昨今、経済最優先ではなく、企業の社会的責任を重んじ、企業の倫理を真摯に考えるという傾向が一般的になっている。

企業は社会の一部であり、また、企業活動は人間の活動である。だから、企業は社会からの道徳的要求を無視できず、また企業活動は道徳的観点から評価される。現代の企業は道徳的な考慮なしで活動することはできない。

b 組織における個人

技術者の大多数は、会社から給料をもらって働く被雇用者になる。被雇用者は、会社の命令に従う「忠実(loyalty)[◆1]」の義務をもつ。会社の或る地位を引き受け雇用された人は、その地位に要求されることを忠実に行うことにも同意したとみなされるからである。

◆1
「忠誠」とも言う。

しかし、「忠実」を二つに分けて考えることが重要である。

(1)「無批判的な忠実」……雇用者の利害関係を、雇用者が主張するとおりに、疑問を抱かないで、他のいかなることよりも優先させること。従来雇用者の側が求めがちであったのはこちらであるが、しばしば事故をふせぐことができなかった要因の一つである。

(2)「批判的な忠実」……雇用者の利害関係を尊重するのではあるが、あくまでも専門家が公衆に対してもつ義務に反しない範囲でという条件がつく。専門家には雇用者が侵害すべきではない公衆への義務がある。

しかし、「批判的」といっても、攻撃的対決的姿勢をとることではない。まして、感情的になることでもない。被雇用者として、自分が属する組織の長期的な利益を促進することが目的である。特に、犯罪が関わってない場合は、組織や個人の名誉を守る（メンツを立てる）ように十分配慮することも必要である。

c 雇用者に対する不服従

技術者には大きく分けて二つの義務がある。一つは、企業のような組織の一員としての義務、つまり雇用者や上司に対する忠誠の義務である。もう一つは、責任ある専門技術者としての義務であり、そこには公衆の安全、健康、福利の最優先などが含まれる。

実際の職場で技術者がしばしば経験するのは、これら二つの義務の対立である。このとき技術者はどのように行動すべきか。一つの選択肢は、どちらかの義務を犠牲にすることである。技術者が雇用者に対する忠誠の義務を犠牲にして、専門家の立場から組織の方針や行為に対して抗議したりまたはそれに従うことを拒否する場合、その行動は「不服従」と呼ばれる。

不服従にはいくつかのタイプがあり、最も劇的な仕方で行われるときそれは「内部告発」というかたちをとる。ハリスらはそれ以外のものを三つのタイプに分類している。◆2

◆2
C・E・ハリス他（日本技術士会訳編）『科学技術者の倫理――その考え方と事例』丸善（1998/原著、1995）331-337頁

1）対立行動による不服従：雇用者の利害とは対立する行動を行うこと。

例えば、技術者が地域の環境団体のメンバーとなり、法が定める以上の汚染防止対策を自分の働く企業に対して要求するといった行動がここに含まれる。

2）不参加による不服従：道徳上の理由や専門知見に基づく理由により、雇用者の命じた任務を拒否すること。

開発中の薬品には人体の安全を脅かす恐れがあると気づいた技術者が、そのことを理由に開発プロジェクトへの参加を拒否した例は、これにあたる。

3）抗議による不服従：専門家の立場から、企業の方針や企業が行った特定の行為に対して抗議すること。抗議は組織の内部のルートを使って行われることもあれば、組織の外で行われることもある。

本来ならばこのような不服従は、技術者の正当化された権利であって欲しいものである。不服従を行った者がそのことを理由に報復を受けたり、解雇されたりするのは望ましいことではない。技術者が自己の権利を守る一つの手段は倫理綱領に訴えることである。例えば、アメリカのNSPE倫理綱領には「専門職の義務」として次のような規則が述べられている。

「技術者は、それに適用されうる技術業の基準に一致しないような計画および／または仕様書を、完成させたり、署名したり、捺印したりすべきではない。もし顧客または雇用者がそのような専門職に相応しくない行いを強要するならば、適切な権威へ通知しそのプロジェクトにおけるそれ以上のサービスから退くべきである[◆3]」。

◆3
『NSPE倫理綱領』、「Ⅲ 専門職の義務 2b」

d 内部告発

①「内部告発」とは

「内部告発」（ホイッスル・ブローイング[◆4]）とは、自分の所属する組織（企業・団体）の内部で行われている不正を外部へ漏らして、その不正を止めさせようとすることである。

◆4
文字通りには、「警笛（ホイッスル）を鳴らす（ブロー）」である

なお、内部告発者は、日本ではようやく法

的な保護の対象となったところだ☞。また、内部告発は、組織に大きな打撃を与えるということもあるので、慎重に行わねばならない「最後の手段」であると言える。

☞工学倫理の資料と文献「公益通報者保護法（抄）」

②内部告発が（法的にではなく）道徳的に許される条件

（条件1）問題を放置すれば公衆への明確で重大な害があり、決して組織への個人的な恨みが動機ではないこと。……個人的な恨みで組織に復讐しようとして内部告発をするのは許されない。

（条件2）単なるうわさではなく直接の証拠をつかんでおり、その証拠を使って問題を説明できる専門知識をもっていること。

（条件3）組織内部の人間や機関に相談しても問題解決できないこと。……相談したり説得する際には、対決的な姿勢をとらず、組織の長期的な利益を考えているという態度をとろう。また、問題解決の積極的具体的なアイデアを用意していくことが望ましい。

③内部告発が（法的にではなく）道徳的に義務となる条件

（条件4）上の3条件が満たされていて、しかも、問題を放置しておくと起こる害の危険が切迫している場合。

④内部告発をしないですむために

内部告発は、組織にとっても望ましいものではないので、内部の不正は内部で解決できるための工夫がすでになされている。倫理規程を制定する「倫理委員会」、苦情を処理する「オンブズマン」制度、匿名の告発を受けつける「倫理ホットライン」◆5制度などが設けられるようになってきている。内部告発をする前にそのような制度が自分の組織内部に設けられていないかどうか調べ、最大限に活用することが必要である。

◆5
「倫理ヘルプライン」とも言う。最近では、電話だけではなく、電子メールも利用される。

e 雇用者の責任

個人と組織との関係を考えるとき、被雇用者が組織への義務を持つのと同様、雇用者も被雇用者に対する義務を果たさなければならない。つまり、被雇用者が働きやすい職場環境であるように配慮しなければならないということである。被雇用者が職を失う危険を冒してまで内部告発をしないでも済むように、「苦情処理委員会」「倫理専門部署」などを設けたり、倫理問題専任担当者を置くなどして、個人の意見が速やかに組織に反映されるような制度を作ること、加えて、そういった制度が有効に機能しているかどうかチェックすることは、その一環と考えられる。

「職場におけるハラスメント」の防止も、そのような雇用者の配慮義務の一つである。日本では1997年に改正男女雇用機会均等法[◆6]、2020年にパワハラ防止法[◆7]が成立し（1999年より施行）、雇用者はハラスメントを防止する義務を負うだけでなく、万一生じた場合には管理者に対処義務があり、対処が不適切ならば管理者自身も責任を問われることになった。訴えに対して雇用者が有効な対応を示さないことは、被害者にとっては逃げようのない劣悪な職場環境に置かれ続けることを意味する。労働者の就業意欲の喪失や生産性の低下を招くという意味で、ハラスメントの放置は会社にとっても不利益となる。

起きてしまった内部告発やハラスメントに対しては、個人の問題に帰することなく、組織の問題としてただちに真剣に取り組むとともに、今後はそのような問題を生じさせないようにしようという組織の姿勢を、組織内全般に行き渡らせることが重要である。

◆6
雇用の分野における男女の均等な機会及び待遇の確保等に関する法律
第二十一条　事業者は、職場において行われる性的な言動に対するその雇用する女性労働者の対応により当該女性労働者がその労働条件につき不利益を受け、又は当該性的な言動により当該女性労働者の就業環境が害されることのないよう雇用管理上必要な配慮をしなければならない。

◆7
労働施策の総合的な推進並びに労働者の雇用の安定及び職業生活の充実等に関する法律
第三十条の二　事業主は、職場において行われる優越的な関係を背景とした言動であって、業務上必要かつ相当な範囲を超えたものによりその雇用する労働者の就業環境が害されることのないよう、当該労働者からの相談に応じ、適切に対応するために必要な体制の整備その他の雇用管理上必要な措置を講じなければならない。

---

(1) R・T・ディジョージ『ビジネス・エシックス』明石書店（1995）
(2) 水谷雅一『経営倫理学の実践と課題』白桃書房（1995）
(3) 水谷雅一『経営倫理学のすすめ』丸善ライブラリー（1998）
(4) 梅津光弘『ビジネスの倫理学』（現代社会の倫理を考える・第3巻）丸善（2002）

倫理綱領について知るべきこと

現代の科学技術は、社会に対して、かつてなかったほどの大きな影響力をもつようになっている。しかし、それにもかかわらず、科学技術関連の大きな事故が近年相次いで発生している[◆1]。これらの事故が社会に与えたインパクトの大きさは、現代において科学技術を専門に扱う技術者の倫理観の重要性を改めて意識させるに十分なものであった。加えて、現在、社会の急速な国際化が進行中であり、科学技術者が海外で活躍する機会も今後ますます増えると予想される。その結果、これからの技術者には、国際的に通用する高いレベルの能力が要求されることになるが、そこにはやはり、高い倫理観も含まれている。このような背景のもと、日本の工学系学協会は、近年相次いで倫理綱領を制定している。

◆1
例えば、2004 年には、三菱ふそうによるトラック・バスの欠陥隠し発覚、六本木ヒルズの回転式自動扉で発生した幼児の死亡事故、関西電力美浜原子力発電所における配管破断といった事故が生じた。

a なぜ倫理綱領か

ある職業団体が倫理綱領を制定する理由は、社会契約モデルと呼ばれる考え方で説明されることが多い。社会契約とは、社会の成立に必要な一定の規則の遵守に関して、成員間で暗黙のうちに交わされていると仮定される契約である。社会契約モデルは、ある職業が、社会によって専門職として認知されるということに関しても、その職業と社会との間に一定の契約が交わされているとみなす。その契約の内容は、概ね以下のようなものである。すなわち、その職業についている者は、⑴社会にとって不可欠で、しかも専門的能力がないとできないサービスを社会に提供し、それによって社会の福利に貢献すること、⑵業務の実施に関して自己規制し、社会に対して不利益をもたらすことを避けること、の２点を保証する。その一方で社会は、⑶業務の実施基準に関して、その職業に自治を認め、⑷その職業に専門職としての地位とそれに見合った報酬を与えることを保証する、ということである。

専門職業の倫理綱領とは、この契約に関して、その職業団体が、自らの遵守事項を尊重し、責任をもって実行することを社会に対して表明するために制定されるものに他ならない。したがって、倫理綱領とは、ある職業が社会によって専門職として認知されるために必要不可欠な条件なのである。

b 倫理綱領には何が規定されているか

もちろん、各学協会の専門分野の違いから、それぞれの綱領の項目には若干の相違が存在するが、その内容は、これまで述べてきた事柄を反映したものとなっている。たいていの綱領にほぼ共通して見出されるものとして、以下のものが挙げられる。

①社会に対する責任

これは、これまでに述べてきた綱領の性格からして、その内容の中核をなすものである。特に、現代の科学技術は、社会全体に対して大きな危害を及ぼしうるものとなっている。したがって、この責任は、社会への危害防止に重点が置かれることになる。その主なものは、公衆の安全・健康・福利を尊重すること、技術がもつ社会への影響・リスクを常に考慮することである。◆2 さらに、社会人の基本的な責任として、自他の人権の尊重も、ここに含まれる。◆3

②雇用者または依頼者に対する責任

技術者の大多数は、何らかの組織の被用者として働いている。またその仕事は、依頼者の依頼に基づいて行われる場合が多い。したがって技術者は、雇用者や依頼者に対して、

◆2
その他、情報開示、客観性・中立性の重視、有能性の維持・向上、批判に謙虚に耳を傾ける、説明責任、等の責任が含まれる。

◆3
特に、技術業との関係では、知的財産権も重要である。☞事例分析06「知的財産権」、基礎知識02「知的財産権について知るべきこと」

その代理人として誠実に仕事をする責任を負っている。[◆4]

③組織責任者としての責任

技術者は、組織における一定の部門の、あるいは組織そのものの管理責任者の地位につく場合もある。その場合、自らの管理下にある技術者に対して責任を負うことになる。この責任は、管理下にある技術者が専門家としての有能性を向上させ、技術者としての責任を果たすための機会や環境を整える責任である☞。

④専門職業に対する責任

技術者が専門職者としての地位と報酬を認められるのは、技術業という専門職に就いているからに他ならない。したがって、個々の技術者は、この恩恵を被っている限り、技術業そのものやその団体に対しても責任を負っている。そしてこの責任は、その都度の責任ある業務の遂行や研究開発等を通じて、技術業の社会的地位の向上に貢献することである。

⑤その他の責任

近年の技術業において特に重要性を増しているものとして、以下の２つが挙げられる。第一に、環境への配慮である。この責任の重要性は、現代の環境問題や科学技術の現状か

◆４
ここには、業務を通じて知った内部情報や個人的情報を他に漏らさないこと（守秘義務）も含まれる。☞ 事例分析 10「機密漏洩と特許訴訟」

☞ 事例分析 13-1「無駄な開発」

ら明らかであろう。第二に、特に近年の日本の倫理綱領に特徴的なものとして、文化の多様性の尊重が挙げられる。これは、上記の社会の国際化を反映しているが、それだけでなく、人々の価値観の多様化や異なる職種同士の協力の重要性をも反映している。

c どのように活かすか

技術者が倫理綱領を活かし、責任ある技術業の業務を遂行するためには、以下のことに注意する必要がある。第一に、綱領は法律ではないということ。法律の場合、違反に罰則を設けて、強制的にそれを遵守させる。しかし、倫理とは、個々の行為者の自律を前提としている。つまり、倫理綱領は、個々人が自主的にそれに従うことに意義があるのである。第二に、綱領に規定されている技術者の責任は、大多数が受け入れるであろう仕方で、いわば最大公約数として述べられている。その結果、それはきわめて抽象的なものとなっていて、具体的な状況に直接適用できるようにはなっていない。また、同じ項目の解釈が人によって異なる場合もありうる。第三に、綱領に規定されている技術者の責任同士が、互いに矛盾する場合がある。情報開示の責任と守秘義務とが矛盾する可能性は容易に想像できる。[5] ただし、第二、第三の点は、第一の点と密接に結びついていると考えられる。つまり、これらは、倫理綱領の活かし方に関して、個々の技術者の自主的な創意工夫を要求しているように思われる。そして、そのために必要な能力は、多くの事例研究に当たり、それへの対処の仕方を自ら考えることで養われるものである。このような訓練を通じて、倫理綱領を活かした技術業を実際に遂行できるようになってはじめて、技術者は社会から、真の意味での専門家として認知されることになるのではないだろうか。

◆5
このような矛盾にどう対処するかについての指示は、綱領には述べられていない場合がほとんどである。

d 専門職とは？

西欧では古くから、専門職は他の一般的な職業とは異なり、神の召命によるものと考えられていた。例えば英語で専門職を表す「profession」という語は、「神との約束を受け入れ、実行する誓約をする」という意味をもっている。専門職に与えられた仕事とは、この世で苦しんでいる人々に助けの手を差し延べることであり、したがって、職能団体のメンバーには、当然、高い倫理観と責任意識が求められた。[6]

◆6
村上陽一郎『科学者とは何か』新潮選書（1994）25-27 頁

e 倫理綱領の変遷

近年、日本でもいくつかの工学系学会が倫理綱領を採用している。だが、倫理綱領の制定に関して言えば、アメリカは日本よりも歴史が古く、20 世紀の初頭にまでさかのぼる。

アメリカで最も早い時期に成立した倫理綱領は、1912 年のアメリカ電気技術者協会のものであり、これをモデルにして化学、機械、土木など、他の分野の技術業協会も倫理綱領を制定した。それら初期の倫理綱領は、雇用者や顧客の利益の保護を技術者の第一の義務と定めていたという点に特徴がある。

その後、倫理綱領の内容に大きな変化が現れるきっかけとなったのは、専門職発展のための技術者評議会（ECPD）が 1947 年に作成した倫理綱領である。そこには、雇用者や顧客の利益以上に、公衆の生命と健康の安全を重視すべきであることがはっきりと述べられていた。そして、現在アメリカではほぼすべての技術業協会が、公衆の安全、健康、福利を最優先することを技術者の義務と定めている。

f ヒポクラテスの誓い

ヒポクラテス（Hippokrates, B. C. 460 年頃

〜375年頃）は古代ギリシャにおける最も高名な医師であり、彼の医学は『ヒポクラテス全集』にまとめられ、古くから医学上の貴重な資料として研究されてきた。「ヒポクラテスの誓い」とは、その中の一篇、『誓い』で彼が説いた医師の心得である。それは西洋医学の伝統をもつ国々において、古くから医療に携わる者たちの職業上の規範として尊重されてきた。次に引用する一節は医療倫理の根本精神を表すものである。

「私が自己の能力と判断とに従って医療を施すのは、患者の救済のためであり、損傷や不正のためにはこれを慎むでありましょう。たとえ懇願されても、死を招くような毒薬はだれにも与えず、誰にもこのような示唆は慎み、また同様に婦人に堕胎具を供することはいたしません[◆7]。」

また、「ヒポクラテスの誓い」は専門職集団のための倫理綱領としては最も早い時期に成立したものである。今日存在するさまざまな分野の専門職集団のモデルとなったのが医師や法律家といった伝統的専門家たちの集まりであったことを考えるならば、「ヒポクラテスの誓い」はあらゆる分野の倫理綱領の原型であるといってもよいだろう。

◆7
ヒポクラテス（大橋博司訳）「ヒッポクラテスの医学」『世界の名著・ギリシアの科学』中央公論社（1972）249頁

応用倫理について知るべきこと

a 応用倫理とは

応用倫理（applied ethics）ないしは実践倫理（practical ethics）という語は、1970年代の欧米で、中絶や安楽死、人種差別、性差別、職場の安全性、プライバシーといった、社会全体や様々な職業領域において深刻になりつつあった倫理的問題に研究者たちが取り組み始めたことを背景として使用されるようになったものである。

それまで倫理というテーマは、主に哲学の一分野である倫理学において研究されてきた。しかし倫理学者のそれまでの主な関心は、例えば「そもそも倫理とは何か」といった問題に関して、権利や善、有徳性等の概念を用いて、きわめて抽象的な理論を形成することに向けられていた。つまり理論的関心が優先されて実用性が犠牲にされてきたのであって、理論を政策に応用したり、問題の解決や論争の沈静化に理論が役立てられるのかどうか、またいかにしてそれが可能なのかといったことに関してはほとんど関心が向けられてこなかったのである。

つまり応用倫理とは、倫理の理論を応用することによって現実の倫理問題を解決する試みとして倫理学の側から始まったものではなく、現実の倫理問題に直面したり関心を持った人々の側からそれを解決する試みとして始まったという側面が強い。ただしその一方で、倫理学は法学と並んで、その後の応用倫理の発展に対して主要な影響を与えることにもなった。というのもこれら両者はともに、社会に関する根本的な事柄、つまり社会というものの原理やそれが満たすべき条件を扱うものだったからである。それゆえ倫理学と法学は、応用倫理に問題を定式化するための語彙を提供し、それを通じて問題を扱うための枠組みを提供することになったのである。

以上から、応用倫理を、倫理に関する一般理論を適用して具体的な倫理問題を解決するものと考えることはできないことになる。そこでさしあたり、応用倫理とは、各職業や科学技術、政治といった特定の分野における倫理問題や行為、政策等の倫理性を倫理学の方法（語彙や概念枠組みなど）を用いて論じるものと定義するのが妥当かもしれない。

さらに付け加えるならば、応用倫理が扱う具体的な倫理問題には、医療やビジネス、技術者といった個々の職業に固有のものが多く含まれる。そのため応用倫理はそれぞれの職業に従事する者が実践すべき職業倫理という側面も強く持つ。もちろん応用倫理で扱われる問題には、このような各職業固有のものだけでなく、科学技術がもたらす社会への影響や環境問題、貧困や差別、人権問題といった社会全体が直面する倫理問題も含まれる。そしてこのことが、応用倫理とは何かという問題に、その内容面と方法の面とからさらなる考察を促すことになるのである。

b 応用倫理における規範の実質

それでは応用倫理の内容をなす倫理規範はどのような実質を持つものだろうか。つまり、倫理とは一般に、正しい行為を定めた規則（規範）で表されることになるが、その規則の根拠はどこに求められるべきか。このことに関しては、さしあたり主に3つの考え方が可能である。

1つは、それぞれの分野の倫理規範はその分野自体に由来するという考え方である。これは特に職業倫理としての側面に関して言えることであるが、それぞれの職業はその業務内容の特質に応じて、優れた業務とはどのようなものか、に関する規範を形成している。そして各従事者はその業務内容の学習を通じてその規範をも習得し、それを業務において遵守することが義務として要求されると考えられるのである。このような考え方は、倫理規範がその分野自体に由来するという意味で、内在主義と呼ぶことができるだろう。

これに対して2番目に、各分野に内在的な倫理規範はそれ自体が独立して存立しているのではなく、外部の規範に基づけられているのだとする考え方もある。応用倫理の規範の最終的な由来をこのような外在的規範に求める考え方は、外在主義と呼ぶことができる。このような外在的規範には、世論や社会常識、法律、宗教など、さらには倫理学の理論もあげられるだろう。

最後に3番目として、応用倫理の規範はその分野に内在的なものと、より広い共同体が持つ規範との両方から成り立っているという考え方がある。ある職業がある共同体において業務を遂行する権限は、その業務が一定の規範に準じて行われるという条件のもとでその共同体によって付与されるものである。したがってこの考え方によれば、各分野における規範は、その業務が行われる共同体の規範に合わせて修正されたものである。この考えは、先の2つの考え方の混合ともいえるので、両在主義と呼ぶこともできるだろう。

これら3つの考え方は、それぞれに長所と短所を有しているが、ここではそれぞれの短所に関してのみ簡潔に述べることにする。内在主義では、職業分野内部のみで形成された規範では、時代や社会の要請の変化に応じて規範を進化させていく柔軟性が得られにくくなる。これに対して外在主義や両在主義では、外在的規範は例えば世論にしても倫理理論、共同体にしても、考え方や要請は多様であり、統一的な基盤を提供することが困難である。その結果、ある職業に共通した規範、特に国際的にも共有されうるような規範といったものが得られにくくなり、国際化といった現代の要請に応じることが困難になってしまう。したがって応用倫理の規範をこれらの考え方のどれか1つに基づいて説明したり確立することはできないだろう。おそらくこれらの観点のメリットを適宜取り入れながら、規範自体を常に検討していくという作業が必要なのではないだろうか。

c 応用倫理の方法論

次に、応用倫理が各領域における具体的な倫理問題を扱い、それに対する倫理的判断を行う際には、どのような方法がとられるべきだろうか。このことに関しても、ここでは2つの方法論を取り上げることにする。「トップダウン」と「ボトムアップ」と呼ばれる方法である。

第一の「トップダウン」は、具体的な倫理的判断をする際に一般的な倫理規則(例えば、「約束を守るべき」)から出発し、それを具体的な事態(友達と会う約束をしているが家で寝ていたい)に適用することでそれが倫理的に妥当なものか否かを判断するという方法である。この方法は日常的で単純な事態の判断に関しては確かに有効な方法と考えられる。しかしより複雑で困難な事態(困っている人に声をかけていたら約束に間に合わない)の判断の場合には、規則自体を事態に合わせて詳細化する必要があるだろうし、また当の事態に含まれる特性のうちのどれ(人助けか約束の遵守か)に着目するかで適用される規則も変わってくるだろう。しかしこれらの手順をいかに行うべきかに関してはおそらく一般的規則によっては決定できないと考えられる。したがってこのトップダウンの方法のみでは倫理的判断を適切に行うことは困難であるように思われる。

第二の「ボトムアップ」は、倫理的判断の出発点を一般的規則ではなく、直面している当の個別の事態と、先行する類似の事例の分析のうちに求めるものである。そもそも一般的規則自体も、多くの事例に関する個別の判断の蓄積を通して時間をかけて規則として一般化されたと考えられる。具体的事態の倫理的判断もこの過程の一環として先行する類似の事例の分析を通して判断することが可能であると考えられる。そしてこの方法によれば、そのつどの状況に即した判断が可能になるとも考えられる。しかしこの方法の難点としては、類似の事例をもとにして新たな事態の判断を行おうとしても、そもそもそれらが倫理的に重要な点で類似しているということが認識されていなければならないという点が挙げられる。そしてそのためには倫理に関する一般的な視点とそのもとになる一定の一般的規則が前提されていなければならないのではないか。つまり、具体的事例を出発点として倫理的判断を行おうとしても、やはり一般的規則は必要であり、個別の事例だけから倫理的判断を行うことはできないということになる。

d まとめ

以上、応用倫理の内容と方法論に関して、代表的な考え方を概観してきた。それを通じて確認できたと思われるのは、いずれの点に関しても決定的な見解はおそらくない、ということではないだろうか。しかしこのことは、これらの見解が妥当性を持たないということではないだろう。倫理というものが人の生き方に関わるものであり、人の生き方とはそもそも「この見解に従っていれば事足りる」といったものではない以上、そこには決定的な見解というものはやはり存在しないと考えられそうだからである。必要なのはおそらく、ここで挙げられたそれぞれの見解を踏まえて、その都度の倫理的判断を下す際に、倫理の内容に関しても方法に関しても絶えず自ら検討し直していくという主体的な態度ということではないだろうか。

---

(1) T. L. Beauchamp, "The Nature of Applied Ethics", In R. G. FREY & Christopher C. Wellman (eds.), *A Companion to Applied Ethics*. 2003. Blackwell Publishing.

倫理概念について知るべきこと

a「倫理」と「倫理学」

英語の「ethics」という言葉には、(1)「人間の行為の基準」という意味と、(2)「人間の行為の基準の研究」という意味がある。(1)を「倫理」、(2)を「倫理学」と呼ぶ。みなさんが学び身につけるのは、技術者の行為の基準という意味の、工学「倫理」である。しかし、それを身につけるためには「倫理学」についても学ぶのがよい。

「倫理学」といっても、おそれる必要はない。みなさんが自分の意思を決定するための「ツール」だと思えばよい。しかし、もちろん、「ツール」は、その仕組みを知れば、よりよく使うことができるようになるのである。

b 唯一正しい倫理学説というものはない

ここでは、倫理学を大きく3つの説に分け、その考え方を学ぶ。それぞれの説に長所と短所があり、どれが唯一正しく、どれにすべきであるとは言えない。1つの考え方だけでは、人間や組織というものの複雑さをとらえきれないのである。3つの説は、互いに補い合っていると考えるのがよい。

実際の意思決定の場面では、自分が直面している事態をよくみつめて、一番いいと思うものを、自分の判断で採用すればよい。ただし、事態をいくつもの立場から眺めてみることは、物事を立体的に見るということであり、その分、判断の間違いが少なくなるだろう。

c 3つの倫理学説

まず、それぞれを簡単に説明しておこう。

(1)「功利主義倫理学」は、最大の「功利」（すなわち、行為の結果として得られる利益）を社会全体にもたらす行為が善いと考える立場である。

(2)「義務倫理学」は、「義務」を果たす行為が善いと考える立場である。

(3)「徳倫理学」は、人が「徳」を持っている（すなわち、「社会から賞賛されることを常日頃から為す力」が定着している）ことを示す行為が本当に善いと考える立場である。

d 功利主義倫理学

功利主義倫理学（以下単に「功利主義」）では、社会全体の功利が大きくなることを重視する。特定の個人や集団だけが幸福になるのではダメである。これを「最大多数の最大幸福」と言う。これはこの考えの長所である。しかし、公共の利益が優先され、少数の人の不利益は我慢すべきものだと考えられやすい。これがこの立場の問題点である。

功利主義を現実に適用するには、「費用便益分析（コスト・ベネフィット・アナリシス）」を用いる。これは、「ある案の採否決定にあたり、その実現に要する費用とそれによって得られる便益とを評価し比較することによって採否を決定する方法」（大辞林）である。簡単に言えば、最低の費用で最高の便益を得ようとするものであり、この点で、社会全体の利益をできる限り大きくしようとする功利主義に似ている。費用便益分析は、幸福というとらえがたいものを金銭的に計算できるという点で言わば客観的でありしかも扱いやすい。ただし、本来金額で表せないもの（たとえば命の価値）も金銭に置き換えてしまいやすいという問題点も持つ☞。現代の技術者の大部分は企業に勤めることになるから、便益を無視して仕事をすることはできない。したがって、この問題点を十分に自覚しながら、費用便益分析を使用することが望ましい。

☞事例分析 02-1「フォード・ピント事件①」

e 義務倫理学

義務倫理学は、功利主義と対比させれば、たとえ社会全体の功利が大きくならなくても果たすべき義務があると考える立場である。その義務とは、人を個人として平等に尊重することである。人を殺したりその自由を否定したりすることは、たとえそれが社会全体の功利を大きくするとしても、あってはならない。このことがはっきり言えるのは、義務倫理学の強みである。また、個人の不利益が公共の利益のために一方的に無視されることもなくなる。

義務倫理学を現実に適用するには、「黄金律テスト」を用いてみるとよい☞。黄金律は世界の主要な宗教や倫理に共通して含まれている規則で、「人からしてもらいたいことを人にもせよ」とか、「人からしてもらいたくないことを人にもするな」と表現される。これは自分と他人を平等に扱う方法であり、

☞基礎知識 08-d「倫理問題の解決法」

「自分がこれからしようとする行為は人から自分にもしてほしいことであるか」を考えてみることで、その行為が倫理的に正しいかどうかを判断するのである。たとえば、ゴミを他人の家の前に捨てる場合、他人が自分の家の前にゴミを捨ててほしいと自分は思うか？　と考えてみるのである。答えは否であろう。

f 徳倫理学

徳倫理学は、功利主義や義務倫理学と対比させれば、たとえ功利をもたらしても、また、義務を果たしても、それが一度だけであったり、たまたまであったりして、常日頃からそうしているのでないならば、その行為を本当に善いとは言わない立場である。

徳倫理学は、特に義務倫理学を批判して、いくら義務や規則を立ててみても、それを常日頃から行う力（すなわち徳）が備わってないのであれば意味がないと考える。徳がなければ、規則は「絵に描いたモチ」にすぎない。

徳の形成は、徳目（徳の名目つまり名前）を暗記することによってではなく、その徳を性格づける行為（親切という徳であれば親切な行為）を常日頃から繰り返し行い習慣化することによってなされる。工学倫理であれば、事例分析の練習を積み重ねていくことによってしか、事例分析力が身につかないと考えることになる。

このように、徳倫理学は、特に教育上の立場として有益である。しかし、現実の場面でどのような行為をすればいいかを具体的に決める方法があまりうまく提示できないという弱点がある。それにもかかわらず、徳は、その時々によってさまざまな仕方で柔軟に発揮されうる「力」であるので、しばしば必要最低限のことしか規定していない規則を越えて積極的に善いことをしようとする原動力になることが期待される。たとえば技術者の誇りという徳がそれである。

g 責任への障害

今日、技術者の倫理面での責任意識の高揚が叫ばれている。だが、忘れてならないのは、責任について単に頭で理解していることと、それを実際の業務で遂行することとは別の事柄だということである。人々の望んでいるのが後者であることは言うまでもない。ところが、技術業の現場では責任の遂行を妨げるいくつかの障害が存在している。以下にあげて

◆1
C・E・ハリス他（日本技術士会訳編）『科学技術者の倫理——その考え方と事例』丸善（1998/原著、1995）77-87頁

おいた主な障害は、ハリスらによる分類[◆1]を参考にしてまとめたものである。

1）**利己主義**：専門技術者としての判断や行動が個人的な利害関係に左右されること。

2）**意志の弱さ・恐れ**：正しいことが何かは知っているが、それを実行する勇気や決断力に欠けること。

3）**自己欺瞞**：事実、行為の真の動機、道徳的責任に関する自己の認識をいつわること。

4）**無知**：責任ある行動をするために見落としてはならない重大な情報の入手や認識を欠くこと。

5）**自己中心主義**：自分とは違った視点から事態を見ることができず、客観性に欠けること。

6）**狭い視野**：状況のある一面だけを問題にし、他の考慮すべき事柄を排除してしまうこと。

7）**盲従**：組織内の権威に無批判的に服従すること。

8）**集団思考**：組織における技術者は個人で意思決定を行うことよりも、集団の意思決定に参加することが多い。集団思考

とは、強い連帯性や忠実性を特徴とする集団が、批判的思考を欠いたまま不合理な合意へと達することをいう。

上にあげた1）から7）までは、個人としての技術者が出くわす障害である。しかし、一般に技術者は、集団で仕事をすることが多い。そこで重要になるのがチームワークである。仕事を成功へと導くために、技術者はお互いが良きチームプレイヤーであることを望む。だが、ここにもう一つの障害が潜んでいる。それが、8）の「集団思考」（groupthink）である。

集団としての技術者が出会うこのような障害については、社会心理学[◆2]の分野で研究が進められている。

◆2
このような問題については、岡本浩一『無責任の構造　モラル・ハザードへの知的戦略』PHP新書（2001）の中で論じられている。

工学の倫理概念について知るべきこと

a 技術者の責任の３つの概念

技術者は自分の行為に対して責任を負わなくてはならない。このようなことばは、ほぼどの倫理綱領のなかにも存在する。だが、技術者の責任をどのように考えるか、どの範囲までを技術者個人の責任とみなすかについては、複数の答えがありうる。ハリスらは専門技術者の責任について３つのモデルを提示している。[◆1]

◆1
C・E・ハリス他（日本技術士会訳編）『科学技術者の倫理――その考え方と事例』丸善（1998／原著、1995）61-75頁

1) **業務過誤モデル**：一連の業務において個々の技術者が引き受けるべき責任の範囲は明確に決まっており、自分の仕事さえ責任をもって果たせば、その前後にどのような過失が起ころうとその技術者に責めを負う必要はない。

2) **合理的注意モデル**：危害の原因となることを自分が直接行わないだけではなく、自分の携わる業務全体が他人に危害を加えることのないよう、積極的に防止に努めるべきである。

3）**立派な仕事モデル**：倫理的技術者に望まれているのは義務の要求を越えてその上を行くことであり、他人が期待する以上のことを行うべきである。

どのモデルで自己の責任の範囲をとらえるべきかは、仕事の場面や内容によっても異なる。だが、道徳的に責任ある技術者に要求されるのは、「業務過誤モデル」を越える、「合理的注意モデル」や「立派な仕事モデル」の与える責任概念である。

b 技術の移転と適正技術

アメリカやヨーロッパを中心に発達した科学技術は、一方では先進諸国に経済的繁栄をもたらしたものの、他方では、技術をもつ国ともたない国との間に貧富の格差を生みだした。これは南北問題と呼ばれ、現在もその解決に向けて国際的な取り組みがなされている。

かつて貧困問題は、貧しい国々に進んだ技術を移転し、生産力を高めさえすれば解決されるものと思われていた。それを支えていたのは、科学技術の普遍性という思想である。つまり、科学技術は全世界的な普遍性をもっており、その有効性は自然条件や社会環境によって制限されるものではないという思想である。

ところが、移転される技術とは、もとはといえば資本が豊富で土地が広く、そして労働力が貴重なアメリカのような国々で発達した資本集約的、労働節約的な工業技術であり、そのままそれが資本が乏しく、人口が多く、活用できる土地も少ない開発途上国に適切であるかどうかは疑わしい。また実際に、安易な技術の移転が、移転先の国々の経済・政治・社会システムを混乱させたり、自然環境を破壊し国民に精神的な荒廃をもたらしたという例も少なくない。その結果、科学技術の普遍性に対する信仰は揺らぎ、むしろそれぞれの地域にはその地域に相応しい技術の導入を考えるべきではないかといわれるようになった。

経済学者シューマッハー(E. F. Schumacher 1911 ~ 1977)は、従来あまり顧みられることのなかった技術の負の側面に注目し、『スモール・イズ・ビューティフル』の中で「中間技術」というそれまでの巨大技術に代わる新しい技術の概念を打ち出した。「適正技術」とは、この新しい技術の概念に触発されて生まれた考え方であり、地域の環境（資源、制度、自然環境）に適合した技術の導入、原材料の現地調達と製品の現地消費、その国の伝統技術の尊重といった主張を含むものである。

c 社会的実験としての技術

工学は本質的に危険をともなう活動である。技術者が設計したものを製品化すること、そしてその製品を世に出すことは、いわば実験であり、その過程で何が起こるかをすべて予測することは不可能に近い。そこには常に不確定性がつきまとっている。また、科学者の実験が実験室という閉鎖的な場所で行われるのに対して、技術者の実験は社会という公的な場所で行われる。そのため、製品に何か問題が起こればその影響は一般市民や生態系に及ぶこともある。

マーチンとシンジンガーは技術がもつ不確定性と社会性という側面をとらえて、それを「社会的実験」と呼び、次のような詳しい特徴づけを行っている。[◆2]

◆2
M. W. Martin and R. Schinzinger, Ethics in Engineering, 3rd. ed., 1997,McGraw-Hill, pp. 81-87

1）技術者は、プロジェクトの遂行に必要なかぎりでの、自然や社会に関するあらゆる知識をもつことはほぼ不可能であり、部分的知識しか得られていない状態で仕事をしなくてはならない。

2）プロジェクトがどのような結果に終わ

るか、また、社会や自然環境、公衆にどのような影響を及ぼすかに関しては、常に不確定性がつきまとう。

3）社会的実験の重要な特徴は、有効な仕方で対照実験を行うことが難しいという点にある。実験には、製品使用者である人間がつねに関わっているが、人間の行動には実験者のコントロールの及ばないところがあるからである。そのため技術者は、製品の定期的な検査と監視によって、その後の製品開発に役立つ知識を蓄えておく必要がある☞。

事例分析 05-2 ☞「六本木ヒルズ回転ドア」

4）一般的に行われていることではないとはいえ、社会的実験には人間が関わっている以上、必要とあれば技術者はインフォームド・コンセントを行うことが望ましい。すなわち、製品の購買者や使用者が判断を下すために必要となる情報をすべて与え、彼らに自発的な意思決定の機会を与えるといったプロセスを無視してはならない。

d 倫理問題の解決法

①一般に倫理問題を議論する際に役立つ方法◆3

「セブン・ステップ・ガイド」（工学倫理学者M・デイヴィスによる）

ステップ1：問題を述べなさい。

◆3
M.Davis, Ethics and the University.Routledge, 1999.pp.166-7. による。「セブン・ステップ・ガイド」の重要性は札野順氏（早稲田大学）が講演で強調されていた。記して感謝する。

ステップ2：事実関係を調べなさい。（かなりの問題が事実関係をしらべるだけで解消する。事実ではなかった、事実とは異なっていたということがよくある。事実がはっきりすれば、なにをすべきかすぐにわかるということもある。）

ステップ3：関連事項を確定しなさい。（誰がその問題に関わっているのか、関連する法律や倫理規程は何なのか、どういう制約があるのか、等々を把握しておく。）

ステップ4：思いつく限りの対策案を出してみなさい。（どこに相談に行けるか、何が言えるか、思いつく限りアイデアを出してみる。）

ステップ5：それらの案について、以下のことを考えてみなさい。

a　その案は、他の案より害が少ないか？

b　その案は、新聞等で公にできるものか？

c　その案は、議会の調査委員会などの前で擁護できるものか？

d　その案は、自分が他の人からされることを望むものか？（黄金律テスト☞）。

e　その案は、同僚が聞いたとしたら、何と言うか？

f　その案は、自分が所属する専門団体の倫理委員会が知ったら、何と言うか？

☞基礎知識07-e「義務倫理学」の「黄金律」の説明を参照。

g　その案は、自分が所属する企業の倫理委員会が知ったら、何と言うか？

ステップ6：ステップ1～5に基づいて選択しなさい。

ステップ7：ステップ1～6を再検討しなさい。今回のような事態を避けるための予防策がないかどうか考えなさい。

◆4
社団法人日本技術士会訳編『科学技術者の倫理』丸善（1998）145-153頁、および、C.B.Fleddermann, *Engineering Ethics*. Prentice Hall, 1999. pp. 48-51. による。

②善いのか悪いのか曖昧な場合に役立つ方法[◆4]

「線引き法」（工学倫理学者C・E・ハリスらによる）

「線引き法」は、その行為が善いのか悪いのか（やっていいのかわるいのか）確信がもてない場合に役立つ方法である。その基本的な考え方は、「誰もが善いと認める行為」（肯定的な範例）および「誰もが悪いと認める行為」（否定的な範例）を基準として立て、問題の行為がどちらと近いか（似ているか）で善いか悪いかを決めようというものである。この場合、それぞれの範例との類似点と相違点をあせらず綿密に考えていくことが大切である。似ているか似ていないかを決めるのは実際には微妙な問題で、こじつけにならないよう十分に注意しなければならない。

具体的には、次のように行う。まず、一本の横線を引き、その両端に、肯定的範例（positive

paradigm : PP）と否定的範例（negative paradigm : NP）をおく。そして、問題の行為（problematic case : PC）の他にも、さまざまな行為の可能性（C1、C2、C3……）を考えて、それらのC1、C2、C3等々を、PPやNPとの類似性と相違を考慮しつつ、PPとNPの間の線上に配置してゆく。すると、たとえば次のような図ができる。

PP　　C2　　C1　　C3　　NP

この図の中で、PCがどこに位置を占めるだろうかと考えるのである。この場合、PP・NPとの類似性と相違だけではなく、C1・C2・C3等との類似性と相違も手がかりにする。すると、次のようになるかもしれない。

PP　PC　C2　　C1　　C3　　NP

この場合、PCはPPにかなり近いということがわかったので、倫理的にかなり善いということになる。

このやり方は、PCを単にPP・NPと比較する場合に比べて、中間にC1・C2・C3といった更なる比較対象があるため、これらとの相対的位置関係で範例との近さが直感的に分かりやすくなるという利点がある。しかし、そもそもC1・C2・C3等の配置がこじつけになる可能性もあるので、その点はやはり注意しなければならない。

◆5
社団法人日本技術士会訳編『第３版　科学技術者の倫理』丸善（2008）による。

③相反問題の解決に用いる方法◆5

「創造的中道法」（工学倫理学者C・E・ハリスらによる）

「創造的中道法」は、二つの相反する（対立する・相容れない）義務の間で選択を迫られた場合に用いる方法である。

「創造的中道法」は、相反する義務の両方を何らかの形で尊重する道を見つけようとするものである。この方法のポイントは、両方の義務をそのままの形で受け入れるのではなく（そのままの形では対立したままである）、何らかの形で、つまりそれぞれを部分的に受け入れて、両方が納得する一つの妥協案を作ることである。

とはいえ、実際のところ、妥協案作りは困難な仕事である。しかし、「第三の視点」を設定することが相反解消を容易にすることもある。「チャレンジャー号事件」を例に考えてみよう☞。あなたは真っ先にこう思ったかもしれない。「打ち上げを中止すればいい。簡単じゃないか」。なるほど、そうかもしれ

事例分析01-1 ☞
「チャレンジャー号事件①」

ない。もし、関係者すべてが「簡単なことだ」と思ったら、それは実行されるだろう。[6]しかし、チャレンジャー号事件の場合、どの程度温度が下がれば爆発するかということを確定できるだけのデータがまだなかった。確実に爆発するとわかっていれば、発射を主張する人は誰もいなかったろう。しかし、それはわからなかった。次に思いつくのは、「中止ではなく、とりあえず暖かくなるまで待つ」であろう。しかし、NASAはいろいろな理由から延期には反対していた。

ここで「第三の視点」を導入してみる。たとえば、危険にさらされる当事者である宇宙飛行士たちの視点だ。つまり、かれらに爆発の可能性についてのリスク情報を知らせて、それに基づいて、シャトルに乗るかどうか選択してもらうのである。[7]これが、「創造的中道」の一例である。もしこれも無理なら、最後の手段として内部告発しなければならなくなるかもしれない。[8]

◆6
この場合は、「容易な選択」と呼ばれる。

◆7
この妥協案は、C. B. Fleddermann, *Engineering Ethics*. 1999. Prentice Hall, Upper Saddle River, New Jersey. p.54. による。

◆8
この場合は、「困難な選択」と呼ばれる。

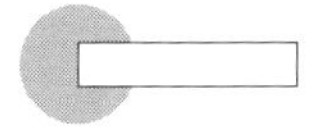

倫理規定の
練習問題

倫理規定の練習問題 ①

次の文章を参考に、問題をといてみよう。

1 研究者倫理

研究者の不正としてFFP（ねつ造Fabrication、改ざんFalsification、盗用Plagiarism）が挙げられる。一般に、ねつ造は、データや実験の情報をでっちあげること、改ざんは、データの情報を変えたり、研究者の資格や業績を偽ったりすること、盗用は、他の人のアイデアや仕事を、自分のものだと主張することである。これ以外にも、①不適切なオーサーシップ、②個人情報の不適切な取り扱い、③研究資金の不正利用、④研究環境でのハラスメント、⑤資金提供者の圧力による研究方法や成果の変更といった問題が取り上げられる。日本学術会議が2006年に採択した「科学者の行動規範」は「科学者の責任、科学者の行動、自己の研鑽、説明と公開、研究活動、研究環境の整備、法令の遵守、研究対象への配慮、他者との関係、差別の排除、利益相反」という項目を立てて解説がなされており、必読と言えよう。

問　研究成果の公表に際して、次の中から不適切なものを選べ

（ア）当該研究に直接関与したわけではないが、研究プロジェクト全般を率いている功績は十分に評価されるべきとの考えから、本人の了解を得て、所属科長を論文の著者に連名した。

（イ）同じ研究を、同時に日本語の複数の学術雑誌に投稿することは認められていないが、日本語と英語など、使用言語が異なる場合は構わないと考え、同じ内容の論文を別言語で同時に複数の学術雑誌に投稿した。

（ウ）実験で予測から外れたデータが出た場合、発表時にそのデータを改ざんすることは認められていないが、論文の趣旨明確化の観点から、あいまいなデータの取捨選択は行ってもよい。

（エ）研究費は厳密に使用するべきであるので、業者のミスにより購入した物品名と請求書が異なる場合や、購入していないのに支払いがなされた場合も、厳しくチェックし、不正使用を疑われないよう努力するべきである。

2 職場のハラスメント予防

職場においてハラスメントが発生した場合は、解決に向けて時間も労力も必要となる。ハラスメントの発生を予防する取り組みが必要である。改正労働施策総合推進法では、就業規則等の規程整備や、各種ハラスメントに対する相談体制の整備、相談者に対する不利益な取扱いの禁止などが求められている。ハラスメントの予防のための取り組みにより「職場のコミュニケーションが活性化する／風通しがよくなる」といった副次的な効果も期待できる。

問 以下の①〜⑩の項目は、厚生労働省が2018年に実施した実態調査で、企業がパワーハラスメントの予防・解決のために実施した取り組み内容である。「実施している取り組みのうち、効果があると実感できたもの」の上位5項目を選べ。

① 事案の分析・再発防止の検討など、再発防止の取り組みを行った
② トップの宣言、会社の方針に定めた
③ 就業規則などの社内規定に盛り込んだ
④ 一般社員等を対象にパワーハラスメントについての講演や研修会を実施した
⑤ 管理職を対象にパワーハラスメントについての講演や研修会を実施した
⑥ 職場におけるコミュニケーション活性化等に関する研修・講習等を実施した
⑦ 社内報などで話題として取り上げた
⑧ 相談窓口を設置した
⑨ ポスター・リーフレット等啓発資料を配布または掲示した
⑩ アンケートなどで、社内の実態把握を行った

1 研究者倫理・解説

（ア）は「不適切なオーサーシップ」と言われる不正行為である。実験装置やプログラムを借りただけの人、お世話になった人を、研究に関与していないのに共著者に加えることは問題となる。（イ）は「二重投稿」ないし「重複投稿」と言われる。同じ研究内容を日本語で複数の雑誌に投稿する場合はもとより、使用言語が異なったとしても重複投稿とみなされる。（ウ）は不正行為の例として取り上げられるFFP（ねつ造 Fabrication, 改ざん Falsification, 盗用 Plagiarism）で問題となる典型例である。研究で重要なのは推測を実現することではなく、事実そのものが価値をもつことを、いま一度思い出したいものである。

参考文献　科学倫理検討委員会編『科学を志す人びとへ』化学同人、2007

2 職場のハラスメント予防・解説

改正労働施策総合推進法で、相談体制の整備が求められている。相談窓口設置だけではなく、相談先や相談のフローチャートが周知されていることが必要である。従業員が窓口の存在を知っており、できるだけ初期の段階で気軽に相談できるしくみづくりが必要である。厚生労働省は、相談者が安心できるよう、相談者のプライバシーが確保できる部屋が準備されており、相談内容の秘密が守られること、相談担当者は男女含め複数の人員が選任されていることなど、相談窓口運用のポイントを示している。

参考文献　厚生労働省「職場のパワーハラスメント防止対策についての検討会」報告書（参考資料）https://www.mhlw.go.jp/file/04-Houdouhappyou-11910000-Koyoukankyoukintoukyoku-Koyoukikaikintouka/0000201239.pdf

＊解答は222頁参照

倫理規定の練習問題 ②

以下の事例から、多様な制約の中でどのように行動すべきか、考えてみよう。

1 安全の基準

あなたはある東南アジアの国に転勤になり、現地工場の安全管理の責任者となった。工場の設備の一部にアスベストが使われていることを発見したため、その除去作業を提案したが、工場の操業を一時停止しなければならないため、現地の工場長はなかなか同意してくれない。どうにか説得して作業を行うことになったが、日本の法律に合わせた作業の計画を説明すると、予算と効率性の点から反対された。この国ではアスベストについての法規制がなく、現地で通常行われているやり方で十分だという。作業員には、危険性について説明し、手当を増額し、書面で同意をとれば問題ない。違法でもないし「郷に入っては郷に従え」だと言われた。あなたはどうすべきだろうか。

2 シュレッダー事故

幼児が業務用シュレッダーに両手を挟まれて指を切断する事故が起こった。このシュレッダーは処理枚数を上げるため、紙投入口が広く設計(8mm) されていた。大人の指は入らないが、子供の指は入ってしまう幅だった。ただし、設計基準は守っていたし、「子どもの手の届かないところに置く、使用後は必ず電源スイッチを切る」、という警告シールが本体に貼ってあったし、取扱説明書にも明記されていた。メーカーは、商品の欠陥ではなく、誤った使い方による特殊な事故と考え、事故の報告や製品の回収は行わなかったが、新商品は投入口を狭くする等の安全対策をとった。この対策は十分だっただろうか。技術者としてどのような対策をとるべきか考えてみよう。

3 風力発電

風力発電は、有限な資源を消費することなく、環境汚染も引き起こさないクリーンなエネルギーとして、太陽光発電とともに注目され、今、建設が進められている。しかし、周辺住民が、騒音や低周波による頭痛や不眠などの健康被害を訴えるケースが増えている。鳥が風車にぶつかって死ぬ「バードストライク」や、景観への影響を指摘する声もある。風車の羽根が破損して落下する事故も各地で起き、期待した量の電気を作れないケースもある。これまでの調査、研究において騒音や低周波と健康被害や睡眠障害との因果関係を示す科学的根拠は得られていない。しかし、住民の不安も大きく反対運動が起きている地域もある。因果関係が証明されない限り、建設を進めてよいだろうか。それとも住民の不安がある限りは止めるべきなのだろうか。

4 持続可能性と自然

現在、ある川の上流に小規模なダムと水力発電施設の建設が計画されている。水力発電は発電時にはCO2などの温室効果ガスを発生しないため地球温暖化対策として有効であり、エネルギーの変換効率も高いというメリットがある。降水量が多い日本においては風力発電や太陽光発電よりも安定して電力を供給できる再生可能エネルギーとしてあらためて注目されている。周辺環境への影響、生態系への影響を調査した結果、ダム建設予定地に絶滅危惧種は生息しておらず、生態系を破壊するほどの悪影響は生じないことが分かった。しかし、建設によって水没する場所もでき、住民や動植物に対する影響も小さくない。ダム建設に対する地域住民の意見は賛成が大多数だが、反対意見も根強い。建設予定地は風光明媚な場所で、上流地域の住民にとって、昔から神が住まう神聖な場所と考えられてきたことから、その地を荒らすことへの忌避感が強い。建設を進めるべきだろうか。

5 安全性と法律

Ａ社Ｂ工場では、２交代制の勤務体制をとって操業しており、あなたは昼間シフトの監督をしている。夜間シフトの勤務時間中に、青酸ソーダの廃溶液が、再処理のためドラム缶に一時的に貯蔵された。２週間後、あなたはそのドラム缶がなくなっていることに気づき、工場長に報告した。調べた結果、夜間にその溶液が不法に下水管に流されたことがわかった。慎重な調査を行った結果、この処理が原因で明白な害が起きていないことが分かった。法律によれば、このような場合は、監督官庁に報告する義務がある。しかし、工場長は、夜間の現場監督に厳重注意し、このようなことが２度と起こらないように対策を講じたから、官庁にも会社の上層部にも報告する必要はないとあなたに告げた。あなたは工場長の処置に疑問を抱いている。どうすべきだろうか。

6 安全性とデータ

あなたは製品の品質管理を行う部署で働いている技術者である。現在、新製品のスマートフォンに使うバッテリーの品質をチェックする仕事をチームで行っている。ほとんど問題なく調査が進み、十分なデータもとれたのだが、一度だけバッテリーが異常に発熱する現象が生じた。ただ、発熱は火傷するほどの温度ではなく、その後、再現することもなかった。このデータを報告書に載せるかどうかでメンバーの間で意見が分かれた。報告書に載せれば、再調査になる。何度試しても再現しなかったのだから調査しようがないし、何かの間違いかもしれない。発熱したとしても安全性に問題はないのだから、あえて載せない方がよいというメンバーもいた。報告書の期限が迫っている。あなたはどうすべきだろうか。

倫理規定の練習問題① 解答
1 ア、イ、ウ
2 上位から⑤、④、⑧、①、⑩

7 情報と安全

あなたは、4月からの運用開始に向けて大学のオンライン学習システムを開発している企業の技術者である。開発中のシステムにセキュリティ上の問題が見つかった。個人情報が流出する可能性がある。この脆弱性に対処するためにセキュリティを強化すると、システムの動作が重くなり、使用に支障をきたす。使用環境によっては使えない学生も出てきそうだ。動作に影響を与えないように対策するには、システム全体の全面的な修正が必要となり、時間がかかり4月のスタートに間に合わない。大学に相談すれば、企業の能力が疑われ、次のシステムの受注に悪影響を及ぼしそうである。上司は、WindowsやiOSだって、セキュリティホールが見つかっては対処しているのだから、システムがスタートしてから、対処すればいいと言う。このシステムは一般に公開されず、脆弱性に気付く学生もほとんどいないだろう。あなたはどうすべきか。

8 安全と義務

食品香料の製造会社に勤めるあなたは、香料の原料の一部に食品衛生法で認可されていない成分が使われているのに気づいた。しかし、この成分は欧米では香料の成分として認められており、安全上の問題はない。厚生労働省に使用許可の申請をすれば問題なく使用できるだろうが、認可まで時間がかかり費用もかかる。また、1つの香料は多種類の物質を組み合わせて作られているが、その原料や配合は企業秘密であり、社外に漏れる可能性は低い。着色料や保存料といった食品添加物は表示義務があるが、香料にはその必要がない。代替物の開発を進言したが、開発には1年近くかかりそうである。この香料は100社以上の会社に出荷しており、このことが発覚すれば、大規模な回収騒ぎが起き、多くの企業に損害をもたらすだろう。取引先から損害賠償を請求されれば、会社は倒産し、自分も含めて、従業員は失業する可能性が高い。あなたはどうすべきか。

工学倫理の
資料と文献

資　料

製造物責任法（抄）

（目的）

第一条 この法律は、製造物の欠陥により人の生命、身体又は財産に係る被害が生じた場合における製造業者等の損害賠償の責任について定めることにより、被害者の保護を図り、もって国民生活の安定向上と国民経済の健全な発展に寄与することを目的とする。

（定義）

第二条 この法律において「製造物」とは、製造又は加工された動産をいう。

2　この法律において「欠陥」とは、当該製造物の特性、その通常予見される使用形態、その製造業者等が当該製造物を引き渡した時期その他の当該製造物に係る事情を考慮して、当該製造物が通常有すべき安全性を欠いていることをいう。

3　この法律において「製造業者等」とは、次のいずれかに該当する者をいう。

一　当該製造物を業として製造、加工又は輸入した者（以下単に「製造業者」という。）

二　自ら当該製造物の製造業者として当該製造物にその氏名、商号、商標その他の表示（以下「氏名等の表示」という。）をした者又は当該製造物にその製造業者と誤認させるような氏名等の表示をした者

三　前号に掲げる者のほか、当該製造物の製造、加工、輸入又は販売に係る形態その他の事情からみて、当該製造物にその実質的な製造業者と認めることができる氏名等の表示をした者

（製造物責任）

第三条 製造業者等は、その製造、加工、輸入又は前条第三項第二号若しくは第三号の氏名等の表示をした製造物であって、その引き渡したものの欠陥により他人の生命、身体又は財産を侵害したときは、これによって生じた損害を賠償する責めに任ずる。ただし、その損害が当該製造物についてのみ生じたときは、この限りでない。

（免責事由）

第四条 前条の場合において、製造業者等は、次の各号に掲げる事項を証明したときは、同条に規定する賠償の責めに任じない。

一　当該製造物をその製造業者等が引き渡した時における科学又は技術に関する知見によっては、当該製造物にその欠陥があることを認識することができなかったこと。

二　当該製造物が他の製造物の部品又は原材料として使用された場合において、その欠陥が専ら当該他の製造物の製造業者が行った設計に関する指示に従ったことにより生じ、かつ、その欠陥が生じたことにつき過失がないこと。

（期限の制限）

第五条 第三条に規定する損害賠償の請求権は、被害者又はその法定代理人が損

害及び賠償義務者を知った時から三年間行わないときは、時効によって消滅する。その製造業者等が当該製造物を引き渡した時から十年を経過したときも、同様とする。

2 前項後段の期間は、身体に蓄積した場合に人の健康を害することになる物質による損害又は一定の潜伏期間が経過した後に症状が現れる損害については、その損害が生じた時から起算する。

（民法の適用）

第六条 製造物の欠陥による製造業者等の損害賠償の責任については、この法律の規定によるほか、民法（明治二十九年法律第八十九号）の規定による。

特許法（抄）

（目的）

第一条 この法律は、発明の保護及び利用を図ることにより、発明を奨励し、もつて産業の発達に寄与することを目的とする。

（定義）

第二条 この法律で「発明」とは、自然法則を利用した技術的思想の創作のうち高度のものをいう。

2 この法律で「特許発明」とは、特許を受けている発明をいう。

3 この法律で発明について「実施」とは、次に掲げる行為をいう。

一 物（プログラム等を含む。以下同じ。）の発明にあつては、その物の生産、使用、譲渡等（譲渡及び貸渡しをいい、その物がプログラム等である場合には、電気通信回線を通じた提供を含む。以下同じ。）、輸出若しくは輸入又は譲渡等の申出（譲渡等のための展示を含む。以下同じ。）をする行為

二 方法の発明にあつては、その方法の使用をする行為

三 物を生産する方法の発明にあつては、前号に掲げるもののほか、その方法により生産した物の使用、譲渡等、輸出若しくは輸入又は譲渡等の申出をする行為

（特許の要件）

第二十九条 産業上利用することができる発明をした者は、次に掲げる発明を除き、その発明について特許を受けることができる。

一 特許出願前に日本国内又は外国において公然知られた発明

二 特許出願前に日本国内又は外国において公然実施をされた発明

三 特許出願前に日本国内又は外国において、頒布された刊行物に記載された発明又は電気通信回線を通じて公衆に利用可能となつた発明

2 特許出願前にその発明の属する技術の分野における通常の知識を有する者が前項各号に掲げる発明に基いて容易に発明をすることができたときは、その発明については、同項の規定にかかわらず、特許を受けることができない。

（特許を受けることができない発明）

第三十二条 公の秩序、善良の風俗又は公衆の衛生を害するおそれがある発明については、第二十九条の規定にかかわらず、特許を受けることができない。

（先願）

第三十九条 同一の発明について異なつた日に二以上の特許出願があつたときは、最先の特許出願人のみがその発明について特許を受けることができる。

（出願公開）

第六十四条 特許庁長官は、特許出願の

日から一年六月を経過したときは、特許掲載公報の発行をしたものを除き、その特許出願について出願公開をしなければならない。

（特許権の効力）

第六十八条 特許権者は、業として特許発明の実施をする権利を専有する。ただし、その特許権について専用実施権を設定したときは、専用実施権者がその特許発明の実施をする権利を専有する範囲については、この限りでない。

（特許権の効力が及ばない範囲）

第六十九条 特許権の効力は、試験又は研究のためにする特許発明の実施には、及ばない。

2 特許権の効力は、次に掲げる物には、及ばない。

一 単に日本国内を通過するに過ぎない船舶若しくは航空機又はこれらに使用する機械、器具、装置その他の物

二 特許出願の時から日本国内にある物

2 二以上の医薬（人の病気の診断、治療、処置又は予防のため使用する物をいう。以下この項において同じ。）を混合することにより製造されるべき医薬の発明又は二以上の医薬を混合して医薬を製造する方法の発明に係る特許権の効力は、医師又は歯科医師の処方せんにより調剤する行為及び医師又は歯科医師の処方せんにより調剤する医薬には、及ばない。

不正競争防止法（抄）

（目的）

第一条 この法律は、事業者間の公正な競争及びこれに関する国際約束の的確な実施を確保するため、不正競争の防止及び不正競争に係る損害賠償に関する措置等を講じ、もって国民経済の健全な発展に寄与することを目的とする。

（定義）

第二条 この法律において「不正競争」とは、次に掲げるものをいう。

一 他人の商品等表示（人の業務に係る氏名、商号、商標、標章、商品の容器若しくは包装その他の商品又は営業を表示するものをいう。以下同じ。）として需要者の間に広く認識されているものと同一若しくは類似の商品等表示を使用し、又はその商品等表示を使用した商品を譲渡し、引き渡し、譲渡若しくは引渡しのために展示し、輸出し、輸入し、若しくは電気通信回線を通じて提供して、他人の商品又は営業と混同を生じさせる行為

二 自己の商品等表示として他人の著名な商品等表示と同一若しくは類似のものを使用し、又はその商品等表示を使用した商品を譲渡し、引き渡し、譲渡若しくは引渡しのために展示し、輸出し、輸入し、若しくは電気通信回線を通じて提供する行為

三 他人の商品の形態（当該商品の機能を確保するために不可欠な形態を除く。）を模倣した商品を譲渡し、貸し渡し、譲渡若しくは貸渡しのために展示し、輸出し、又は輸入する行為

四 窃取、詐欺、強迫その他の不正の手段により営業秘密を取得する行為（以下「不正取得行為」という。）又は不正取得行為により取得した営業秘密を使用し、若しくは開示する行為（秘密を保持しつつ特定の者に示すことを含む。以下同じ。）

五 その営業秘密について不正取得行

為が介在したことを知って、若しくは重大な過失により知らないで営業秘密を取得し、又はその取得した営業秘密を使用し、若しくは開示する行為

六　その取得した後にその営業秘密について不正取得行為が介在したことを知って、又は重大な過失により知らないでその取得した営業秘密を使用し、又は開示する行為

七　営業秘密を保有する事業者（以下「保有者」という。）からその営業秘密を示された場合において、不正の利益を得る目的で、又はその保有者に損害を加える目的で、その営業秘密を使用し、又は開示する行為

八　その営業秘密について不正開示行為（前号に規定する場合において同号に規定する目的でその営業秘密を開示する行為又は秘密を守る法律上の義務に違反してその営業秘密を開示する行為をいう。以下同じ。）であること若しくはその営業秘密について不正開示行為が介在したことを知って、若しくは重大な過失により知らないで営業秘密を取得し、又はその取得した営業秘密を使用し、若しくは開示する行為

九　その取得した後にその営業秘密について不正開示行為があったこと若しくはその営業秘密について不正開示行為が介在したことを知って、又は重大な過失により知らないでその取得した営業秘密を使用し、又は開示する行為

十　営業上用いられている技術的制限手段（他人が特定の者以外の者に影像若しくは音の視聴若しくはプログラムの実行又は影像、音若しくはプログラムの記録をさせないために用いているものを除く。）により制限されている影像若しくは音の視聴若しくはプログラムの実行又は影像､音若しくはプログラムの記録（以下この号において「影像の視聴等」という。）を当該技術的制限手段の効果を妨げることにより可能とする機能を有する装置（当該装置を組み込んだ機器及び当該装置の部品一式であって容易に組み立てることができるものを含む。）若しくは当該機能を有するプログラム（当該プログラムが他のプログラムと組み合わされたものを含む。）を記録した記録媒体若しくは記憶した機器を譲渡し、引き渡し、譲渡若しくは引渡しのために展示し、輸出し、若しくは輸入し、又は当該機能を有するプログラムを電気通信回線を通じて提供する行為（当該装置又は当該プログラムが当該機能以外の機能を併せて有する場合にあっては、影像の視聴等を当該技術的制限手段の効果を妨げることにより可能とする用途に供するために行うものに限る。）

十一　他人が特定の者以外の者に影像若しくは音の視聴若しくはプログラムの実行又は影像、音若しくはプログラムの記録をさせないために営業上用いている技術的制限手段により制限されている影像若しくは音の視聴若しくはプログラムの実行又は影像、音若しくはプログラムの記録（以下この号において「影像の視聴等」という。）を当該技術的制限手段の効果を妨げることにより可能とする機能を有する装置（当該装置を組み込んだ機器及び当該装置の部品一式であって容易に組み立てることができるものを含む。）若しくは当該機能を有するプログラム（当該プログラムが他のプログラムと組み合わされたものを含む。）を記録した記録媒体若しくは記憶した機器を当

該特定の者以外の者に譲渡し、引き渡し、譲渡若しくは引渡しのために展示し、輸出し、若しくは輸入し、又は当該機能を有するプログラムを電気通信回線を通じて提供する行為（当該装置又は当該プログラムが当該機能以外の機能を併せて有する場合にあっては、影像の視聴等を当該技術的制限手段の効果を妨げることにより可能とする用途に供するために行うものに限る。）

十二　不正の利益を得る目的で、又は他人に損害を加える目的で、他人の特定商品等表示（人の業務に係る氏名、商号、商標、標章その他の商品又は役務を表示するものをいう。）と同一若しくは類似のドメイン名を使用する権利を取得し、若しくは保有し、又はそのドメイン名を使用する行為

十三　商品若しくは役務若しくはその広告若しくは取引に用いる書類若しくは通信にその商品の原産地、品質、内容、製造方法、用途若しくは数量若しくはその役務の質、内容、用途若しくは数量について誤認させるような表示をし、又はその表示をした商品を譲渡し、引き渡し、譲渡若しくは引渡しのために展示し、輸出し、輸入し、若しくは電気通信回線を通じて提供し、若しくはその表示をして役務を提供する行為

十四　競争関係にある他人の営業上の信用を害する虚偽の事実を告知し、又は流布する行為

十五　パリ条約（商標法（昭和三十四年法律第百二十七号）第四条第一項第二号 に規定するパリ条約をいう。）の同盟国、世界貿易機関の加盟国又は商標法条約の締約国において商標に関する権利（商標権に相当する権利に限る。以下この号において単に「権利」という。）を有する者の代理人若しくは代表者又はその行為の日前一年以内に代理人若しくは代表者であった者が、正当な理由がないのに、その権利を有する者の承諾を得ないでその権利に係る商標と同一若しくは類似の商標をその権利に係る商品若しくは役務と同一若しくは類似の商品若しくは役務に使用し、又は当該商標を使用したその権利に係る商品と同一若しくは類似の商品を譲渡し、引き渡し、譲渡若しくは引渡しのために展示し、輸出し、輸入し、若しくは電気通信回線を通じて提供し、若しくは当該商標を使用してその権利に係る役務と同一若しくは類似の役務を提供する行為

2　この法律において「商標」とは、商標法第二条第一項 に規定する商標をいう。

3　この法律において「標章」とは、商標法第二条第一項 に規定する標章をいう。

4　この法律において「商品の形態」とは、需要者が通常の用法に従った使用に際して知覚によって認識することができる商品の外部及び内部の形状並びにその形状に結合した模様、色彩、光沢及び質感をいう。

5　この法律において「模倣する」とは、他人の商品の形態に依拠して、これと実質的に同一の形態の商品を作り出すことをいう。

6　この法律において「営業秘密」とは、秘密として管理されている生産方法、販売方法その他の事業活動に有用な技術上又は営業上の情報であって、公然と知られていないものをいう。

7　この法律において「技術的制限手

段」とは、電磁的方法（電子的方法、磁気的方法その他の人の知覚によって認識することができない方法をいう。）により影像若しくは音の視聴若しくはプログラムの実行又は影像、音若しくはプログラムの記録を制限する手段であって、視聴等機器（影像若しくは音の視聴若しくはプログラムの実行又は影像、音若しくはプログラムの記録のために用いられる機器をいう。以下同じ。）が特定の反応をする信号を影像、音若しくはプログラムとともに記録媒体に記録し、若しくは送信する方式又は視聴等機器が特定の変換を必要とするよう影像、音若しくはプログラムを変換して記録媒体に記録し、若しくは送信する方式によるものをいう。

8　この法律において「プログラム」とは、電子計算機に対する指令であって、一の結果を得ることができるように組み合わされたものをいう。

9　この法律において「ドメイン名」とは、インターネットにおいて、個々の電子計算機を識別するために割り当てられる番号、記号又は文字の組合せに対応する文字、番号、記号その他の符号又はこれらの結合をいう。

10　この法律にいう「物」には、プログラムを含むものとする。

（差止請求権）

第三条 不正競争によって営業上の利益を侵害され、又は侵害されるおそれがある者は、その営業上の利益を侵害する者又は侵害するおそれがある者に対し、その侵害の停止又は予防を請求することができる。

2　不正競争によって営業上の利益を侵害され、又は侵害されるおそれがある者は、前項の規定による請求をするに際し、侵害の行為を組成した物（侵害の行為により生じた物を含む。第五条第一項において同じ。）の廃棄、侵害の行為に供した設備の除却その他の侵害の停止又は予防に必要な行為を請求することができる。

NSPE エンジニアのための倫理規定

2007 年 7 月改定

（前文）

エンジニアリングは、重要でかつ教養に裏付けられた専門職である。この専門職の一員として、エンジニアは、最高水準の公正さおよび誠実さを示すことが期待される。

エンジニアリングは、すべての人々の生活の質に、直接的でかつ死活的な影響を持つ。それゆえに、エンジニアによって提供される役務は、誠実、公平、公正、及び不偏であることが求められ、かつ公共の衛生、安全及び福利*に貢献せねばならない。

エンジニアは、倫理的行為の最高原則に沿った、専門職としての行動基準に従って役務を遂行しなければならない。

Ⅰ．根源的規範

エンジニアは、自身の専門職としての責務を遂行するにあたり、以下を規範としなければならない。

1　公共の安全、衛生、及び福利を最優先とする。

2　自身の専門能力の範囲内でのみ役務を遂行する。

3　公式声明は、客観的かつ誠実な態度でのみ行う。

4　自身の雇用主あるいは顧客のために、誠実な代理人または受託者として行動する。

5　欺瞞的な行動を回避する。

6　この専門職の名誉、評判、及び有用性を高めるため、自身の誇りと責任を持ち、倫理的かつ法を遵守した振舞いを示す。

[……中略……]

Ⅱ. 実務規定

1　エンジニアは、公共の衛生、安全及び福利を最優先としなければならない。

a. エンジニアは、生命や財産に危害が及びかねない状況において自身の判断が覆されるような場合には、自身の雇用主、顧客あるいはその他適切な機関にその状況を知らせなければならない。

b. エンジニアは、適用すべき基準に適合している技術文書のみを承認しなければならない。

c. エンジニアは、法律や本規定により正当化あるいは要求される場合を除いて、自身の雇用主や顧客の事前同意を得ること無く、雇用主や顧客の事実関係、データあるいは情報を漏らしてはならない。

d. エンジニアは、詐欺的あるいは不誠実な事業に関与していると当人が考える個人や企業については、それらに対して自身の氏名の利用を許可したり、それらとの事業に関与したりしてはならない

e. エンジニアは、個人や企業による違法なエンジニアリング行為を帮助したり、教唆したりしてはならない。

f. エンジニアは、本規定に侵害する行為を知った場合には、適切な専門職団体へ報告し、加えて必要に応じて当該公的機関にも通報しなければならない。また求められれば、しかるべき機関に対し情報あるいは支援を提供しなければならない。

[……中略……]

Ⅲ. 専門職としての義務

1　エンジニアは、自身に関連する全てにおいて最高水準の公正さおよび誠実さに導かれなければならない。

a. エンジニアは、自身に誤りがあればそれを認め、事実関係を歪めたり変えたりしてはならない。

[……中略……]

2　エンジニアは、いかなる時も公共の利益に貢献するよう努めねばならない。

a. エンジニアによる次の活動への参加は、これを推奨する：公民関連案件、青少年向けの進路指導、ならびに地域社会の安全、衛生および福利の向上に質する仕事

b. エンジニアは、適用すべき技術規格に適合してない計画書や仕様書あるいはその両方を完成させたり、これに署名、捺印したりしてはならない。もし顧客や雇用者からそのような専門職に相応しくない行為を強要されたならば、エンジニアはしかるべき機関に報告し、当該プロジェクトに対する以後の役務を停止しなければならない。

c. エンジニアは、エンジニアリングそのものと、エンジニアリングが成し遂げたことに対する、公衆の知識や評価を広げることを奨励される。

d. エンジニアは、将来世代への環境保全の為に、持続可能な発展（脚注1）の原則を固守することを奨励される。

3　エンジニアは、公衆を欺く全ての振る舞いまたは行いを回避しなければならない。

a. エンジニアは、重要な事実を虚偽

に表示、または重要な事実を除外している声明の使用を回避しなければならない。

[……中略……]

4　エンジニアは、現在あるいは過去の顧客もしくは雇用者の同意なしに、自身が携わった役務についての商務や技術的プロセスに関する機密情報を開示してはならない。

[……中略……]

5　エンジニアは、利益相反によって専門職としての義務が左右されてはならない。

[……中略……]

9　エンジニアは、評価を受けるべき者の技術業務に対してクレジットを与えなければならず、また他の者の財産的な権益を認識するものとする。

[……中略……]

e．エンジニアは、その職務を通じて自身の専門性の継続的向上を図らなければならず、専門実務に従事すること、継続教育課程への参加、技術書の読み取り、専門会議や技術セミナーへの出席によって、専門分野の最新動向に身を置き続けなければならない。

（脚注 1 ）

“持続可能な発展”とは、天然資源や工業製品、エネルギー、食糧、輸送、住居に対する人類の必要性と、将来の発展に重要な基礎となる環境品質と天然資源を保存し、保護しながら行う消費管理を合致させる挑戦を意味する。

[……中略……]

＊ “public health, safety, and welfare” は「公衆の健康、安全及び福利」と訳されることが多いが今回は JSPE の意向に沿って「公共の衛生、安全及び福利」とした

日本機械学会倫理規定

（前文）

本会会員は、真理の探究と技術の革新に挑戦し、新しい価値を創造することによって、文明と文化の発展および人類の安全、健康、福祉に貢献することを使命とする。また、科学技術が地球環境と人類社会に重大な影響を与えることを認識し、技術専門職として職務を遂行するにあたって、自らの良心と良識に従う自律ある行動が、科学技術の発展と人類の福祉にとって不可欠であることを自覚し、社会からの信頼と尊敬を得るために、以下に定める倫理綱領を遵守することを誓う。

（綱領）

1. 技術者としての社会的責任

会員は、技術者としての専門職が、技術的能力と良識に対する社会の信頼と負託の上に成り立つことを認識し、社会が真に必要とする技術の実用化と研究に努めると共に、製品、技術および知的生産物に関して、その品質、信頼性、安全性、および環境保全に対する責任を有する。また、職務遂行においては常に公衆の安全、健康、福祉を最優先させる。

2. 技術専門職としての研鑽と向上

会員は、技術専門職上の能力と人格の向上に継続的に努める。自らの専門知識を、豊かな持続的社会の実現に最大限に活用し、公衆、雇用者、顧客に対して誠実に対応することを通じて、技術専門職としての品位、信頼および尊敬を維持向上させることに努める。

3. 公正な活動
会員は、立案、計画、申請、実施、報告などの過程において、真実に基づき、公正であることを重視し、誠実に行動する。研究・調査データの記録保存や厳正な取扱いを徹底し、ねつ造、改ざん、盗用などの不正行為をなさず、加担しない。また科学技術に関わる問題に対して、特定の権威・組織・利益によらない中立的・客観的な立場から討議し、責任をもって結論を導き、実行する。

4. 法令の遵守
会員は、職務の遂行に際して、社会規範、法令および関係規則を遵守する。

5. 契約の遵守
会員は、専門職務上の雇用者または依頼者の受託者、あるいは代理人として契約を遵守し、職務上知りえた情報の機密保持の義務を負う。

6. 情報の公開
会員は、関与する計画と事業が人類社会や環境に及ぼす影響を予測評価する努力を怠らず、公衆の安全、健康、福祉を損なう、または環境を破壊する可能性がある場合には、中立性、客観性を保ち、自己の良心と信念に従って情報を公開する。

7. 利益相反の回避
会員は、自らの職務において、雇用者や依頼者との利益相反を生むことを回避し、利益相反がある場合には、説明責任と公明性を重視して、雇用者や依頼者に対し利益相反についての情報をすべて開示する。

8. 公平性の確保
会員は、人種、性、年齢、地位、所属、思想・宗教などによって個人を差別せず、個人の人権と人格を尊重する。また、個人の自由を尊重し、公平に対応する。

9. 専門職相互の協力と尊重
会員は、他者と互いの能力の向上に向けて協力し、専門職上の批判には謙虚に耳を傾け、不公正な競争を避けて真摯な態度で討論すると共に、他者の知的成果などの業績を正当に評価し、知的財産権を侵害せず、非公開情報の不正入手や不正使用を行わない。また、複数の関係者によって成果を創出した場合には、貢献した者の寄与と成果を尊重する。

10. 研究対象、研究協力者などの保護
会員は、研究対象を含む研究協力者の人権、人格を尊重し、安全、福利、個人情報の保護等に配慮する。動物などに対しては、苦痛への配慮や生態系への影響を考慮し真摯な態度で扱う。

11. 職務環境の整備
会員は、不正行為を防止する公正なる環境の整備・維持も重要な責務であることを自覚し、技術者コミュニティおよび自らの所属組織の職務・研究環境を改善する取り組みに積極的に参加する。

12. 教育と啓発
会員は、自己の専門知識と経験を生かして、将来を担う技術者・研究者の指導・育成に努める。また得られた知的成果を、解説、講演、書籍などを通じて公開に努め、人々の啓発活動に貢献する。

(2013年1月16日　理事会一部変更承認)

土木技術者の倫理規定

(前文)

1. 1938年（昭和13年）3月、土木学会は「土木技術者の信条および実践要綱」を発表した。この信条および要綱は1933年（昭和8年）2月に提案され、土木学会相互規約調査委員会（委員長：青山士、元土木学会会長）によって成文化された。1933年、わが国は国際連盟の脱退を宣言し、蘆溝橋事件を契機に日中戦争、太平洋戦争へ向っていた。このような時代のさなかに、「土木技術者の信条および実践要綱」を策定した見識は土木学会の誇りである。

2. 土木学会は土木事業を担う技術者、土木工学に関わる研究者等によって構成され、1）学会としての会員相互の交流、2）学術・技術進歩への貢献、3）社会に対する直接的な貢献、を目指して活動している。

土木学会がこのたび、「土木技術者の信条および実践要綱」を改定し、新しく倫理規定を制定したのは、現在および将来の土木技術者が担うべき使命と責任の重大さを認識した発露に他ならない。

（基本認識）

1. 土木技術は、有史以来今日に至るまで、人々の安全を守り、生活を豊かにする社会資本を建設し、維持・管理するために貢献してきた。とくに技術の大いなる発展に支えられた現代文明は、人類の生活を飛躍的に向上させた。しかし、技術力の拡大と多様化とともに、それが自然および社会に与える影響もまた複雑化し、増大するに至った。土木技術者はその事実を深く認識し、技術の行使にあたって常に自己を律する姿勢を堅持しなければならない。

2. 現代の世代は未来の世代の生存条件を保証する責務があり、自然と人間を共生させる環境の創造と保存は、土木技術者にとって光栄ある使命である。

（倫理規定）

土木技術者は

1. 「美しい国土」、「安全にして安心できる生活」、「豊かな社会」をつくり、改善し、維持するためにその技術を活用し、品位と名誉を重んじ、知徳をもって社会に貢献する。

2. 自然を尊重し、現在および将来の人々の安全と福祉、健康に対する責任を最優先し、人類の持続的発展を目指して、自然および地球環境の保全と活用を図る。

3. 固有の文化に根ざした伝統技術を尊重し、先端技術の開発研究に努め、国際交流を進展させ、相互の文化を深く理解し、人類の福利高揚と安全を図る。

4. 自己の属する組織にとらわれることなく、専門的知識、技術、経験を踏まえ、総合的見地から土木事業を遂行する。

5. 専門的知識と経験の蓄積に基づき、自己の信念と良心にしたがって報告などの発表、意見の開陳を行う。

6. 長期性、大規模性、不可逆性を有する土木事業を遂行するため、地球の持続的発展や人々の安全、福祉、健康に関する情報は公開する。

7. 公衆、土木事業の依頼者および自身に対して公平、不偏な態度を保ち、誠実に業務を行う。

8. 技術的業務に関して雇用者、もしくは依頼者の誠実な代理人、あるいは受託者として行動する。

9. 人種、宗教、性、年齢に拘わらず、あらゆる人々を公平に扱う。

10. 法律、条例、規則、契約等に従って業務を行い、不当な対価を直接または間接に、与え、求め、または受け取らない。

11. 土木施設・構造物の機能、形態、および構造特性を理解し、その計画、設計、建設、維持、あるいは廃棄にあたって、先端技術のみならず伝統技術の活用を図り、生態系の維持および美の構成、ならびに歴史的遺産の保存に留意する。

12. 自己の専門的能力の向上を図り、学理・工法の研究に励み、進んでその結果を学会等に公表し、技術の発展に貢献する。

13. 自己の人格、知識、および経験を活用して人材の育成に努め、それらの人々の専門的能力を向上させるための支援を行う。

14. 自己の業務についてその意義と役割を積極的に説明し、それへの批判に誠実に対応する。さらに必要に応じて、自己および他者の業務を適切に評価し、積極的に見解を表明する。

15. 本会の定める倫理規定に従って行動し、土木技術者の社会的評価の向上に不断の努力を重ねる。とくに土木学会会員は、率先してこの規定を遵守する。

(1999年5月7日　土木学会理事会制定)

技術士倫理綱領

昭和36年3月14日理事会制定
平成23年3月17日理事会変更承認

前　文

技術士は、科学技術が社会や環境に重大な影響を与えることを十分に認識し、業務の履行を通して持続可能な社会の実現に貢献する。

技術士は、その使命を全うするため、技術士としての品位の向上に努め、技術の研鑽に励み、国際的な視野に立ってこの倫理綱領を遵守し、公正・誠実に行動する。

基本綱領

(公衆の利益の優先)

1. 技術士は、公衆の安全、健康及び福利を最優先に考慮する。

(持続可能性の確保)

2. 技術士は、地球環境の保全等、将来世代にわたる社会の持続可能性の確保に努める。

(有能性の重視)

3. 技術士は、自分の力量が及ぶ範囲の業務を行い、確信のない業務には携わらない。

(真実性の確保)

4. 技術士は、報告、説明又は発表を、客観的でかつ事実に基づいた情報を用いて行う。

(公正かつ誠実な履行)

5. 技術士は、公正な分析と判断に基づき、託された業務を誠実に履行する。

(秘密の保持)

6. 技術士は、業務上知り得た秘密を、正当な理由がなく他に漏らしたり、転用したりしない。

(信用の保持)

7. 技術士は、品位を保持し、欺瞞的な行為、不当な報酬の授受等、信用を失うような行為をしない。

(相互の協力)

8. 技術士は、相互に信頼し、相手の立場を尊重して協力するように努める。

(法規の遵守等)

9. 技術士は、業務の対象となる地域の法規を遵守し、文化的価値を尊重する。

(継続研鑽)

10. 技術士は、常に専門技術の力量並びに技術と社会が接する領域の知識を高めるとともに、人材育成に努める。

高齢者、障害者等の移動等の円滑化の促進に関する法律（バリアフリー新法）（抄）

第一章　総則

（目的）

第一条　この法律は、高齢者、障害者等の自立した日常生活及び社会生活を確保することの重要性に鑑み、公共交通機関の旅客施設及び車両等、道路、路外駐車場、公園施設並びに建築物の構造及び設備を改善するための措置、一定の地区における旅客施設、建築物等及びこれらの間の経路を構成する道路、駅前広場、通路その他の施設の一体的な整備を推進するための措置、移動等円滑化に関する国民の理解の増進及び協力の確保を図るための措置その他の措置を講ずることにより、高齢者、障害者等の移動上及び施設の利用上の利便性及び安全性の向上の促進を図り、もって公共の福祉の増進に資することを目的とする。

（基本理念）

第一条の二　この法律に基づく措置は、高齢者、障害者等にとって日常生活又は社会生活を営む上で障壁となるような社会における事物、制度、慣行、観念その他一切のものの除去に資すること及び全ての国民が年齢、障害の有無その他の事情によって分け隔てられることなく共生する社会の実現に資することを旨として、行われなければならない。

[……以下略……]

ユニバーサル社会の実現に向けた諸施策の総合的かつ一体的な推進に関する法律（ユニバーサル社会実現推進法）（抄）

第一章　総則

（目的）

第一条　この法律は、全ての国民が、障害の有無、年齢等にかかわらず、等しく基本的人権を享有するかけがえのない個人として尊重されるものであるとの理念にのっとり、障害者、高齢者等の自立した日常生活及び社会生活が確保されることの重要性に鑑み、ユニバーサル社会の実現に向けた諸施策の推進に関し、国等の責務を明らかにするとともに、ユニバーサル社会の実現に向けた諸施策の実施状況の公表及びユニバーサル社会の実現に向けた諸施策の策定等に当たっての留意事項その他必要な事項を定めることにより、ユニバーサル社会の実現に向けた諸施策を総合的かつ一体的に推進することを目的とする。

[……以下略……]

公益通報者保護法（抄）

（目的）

第一条　この法律は、公益通報をしたことを理由とする公益通報者の解雇の無効及び不利益な取扱いの禁止等並びに公益通報に関し事業者及び行政機関がとるべき措置等を定めることにより、公益通報者の保護を図るとともに、国民の生命、身体、財産その他の利益の保護に関わる法令の規定の遵守を図り、もって国民生活の安定及び社会経済の健全な発展に資することを目的とする。

（定義）

第二条　この法律において「公益通報」

とは、次の各号に掲げる者が、不正の利益を得る目的、他人に損害を加える目的その他の不正の目的でなく、当該各号に定める事業者[……中略……]
(以下「役務提供先」という。)又は当該役務提供先の事業に従事する場合におけるその役員[……中略……]、従業員、代理人その他の者について通報対象事実が生じ、又はまさに生じようとしている旨を、当該役務提供先若しくは当該役務提供先があらかじめ定めた者(以下「役務提供先等」という。)、当該通報対象事実について処分[……中略……]若しくは勧告等[……中略……]をする権限を有する行政機関若しくは当該行政機関があらかじめ定めた者(次条第二号及び第六条第二号において「行政機関等」という。)又はその者に対し当該通報対象事実を通報することがその発生若しくはこれによる被害の拡大を防止するために必要であると認められる者[……中略……]に通報することをいう。

一　労働者[……中略……]又は労働者であった者　当該労働者又は労働者であった者を自ら使用し、又は当該通報の日前一年以内に自ら使用していた事業者(次号に定める事業者を除く。)

二　派遣労働者[……中略……]又は派遣労働者であった者　当該派遣労働者又は派遣労働者であった者に係る労働者派遣[……中略……]の役務の提供を受け、又は当該通報の日前一年以内に受けていた事業者

三　前二号に定める事業者が他の事業者との請負契約その他の契約に基づいて事業を行い、又は行っていた場合において、当該事業に従事し、又は当該通報の日前一年以内に従事していた労働者若しくは労働者であった者又は派遣労働者若しくは派遣労働者であった者　当該他の事業者

四　役員　次に掲げる事業者

イ　当該役員に職務を行わせる事業者

ロ　イに掲げる事業者が他の事業者との請負契約その他の契約に基づいて事業を行う場合において、当該役員が当該事業に従事するときにおける当該他の事業者

2　この法律において「公益通報者」とは、公益通報をした者をいう。

3　この法律において「通報対象事実」とは、次の各号のいずれかの事実をいう。

一　この法律及び個人の生命又は身体の保護、消費者の利益の擁護、環境の保全、公正な競争の確保その他の国民の生命、身体、財産その他の利益の保護に関わる法律として別表に掲げるもの(これらの法律に基づく命令を含む。以下この項において同じ。)に規定する罪の犯罪行為の事実又はこの法律及び同表に掲げる法律に規定する過料の理由とされている事実

二　別表に掲げる法律の規定に基づく処分に違反することが前号に掲げる事実となる場合における当該処分の理由とされている事実(当該処分の理由とされている事実が同表に掲げる法律の規定に基づく他の処分に違反し、又は勧告等に従わない事実である場合における当該他の処分又は勧告等の理由とされている事実を含む。)

4　この法律において「行政機関」とは、次に掲げる機関をいう。

一　内閣府、宮内庁、内閣府設置法(平成十一年法律第八十九号)第四十九条第一項若しくは第二項に規定する機関、デジタル庁、国家行政組織法(昭和二十三

年法律第百二十号）第三条第二項に規定する機関、法律の規定に基づき内閣の所轄の下に置かれる機関若しくはこれらに置かれる機関又はこれらの機関の職員であって法律上独立に権限を行使することを認められた職員

二　地方公共団体の機関（議会を除く。）

（解雇の無効）

第三条　労働者である公益通報者が次の各号に掲げる場合においてそれぞれ当該各号に定める公益通報をしたことを理由として前条第一項第一号に定める事業者（当該労働者を自ら使用するものに限る。第九条において同じ。）が行った解雇は、無効とする。

一　通報対象事実が生じ、又はまさに生じようとしていると思料する場合　当該役務提供先等に対する公益通報

二　通報対象事実が生じ、若しくはまさに生じようとしていると信ずるに足りる相当の理由がある場合又は通報対象事実が生じ、若しくはまさに生じようとしていると思料し、かつ、次に掲げる事項を記載した書面（電子的方式、磁気的方式その他人の知覚によっては認識することができない方式で作られる記録を含む。次号ホにおいて同じ。）を提出する場合　当該通報対象事実について処分又は勧告等をする権限を有する行政機関等に対する公益通報

イ　公益通報者の氏名又は名称及び住所又は居所

ロ　当該通報対象事実の内容

ハ　当該通報対象事実が生じ、又はまさに生じようとしていると思料する理由

ニ　当該通報対象事実について法令に基づく措置その他適当な措置がとられるべきと思料する理由

三　通報対象事実が生じ、又はまさに生じようとしていると信ずるに足りる相当の理由があり、かつ、次のいずれかに該当する場合　その者に対し当該通報対象事実を通報することがその発生又はこれによる被害の拡大を防止するために必要であると認められる者に対する公益通報

イ　前二号に定める公益通報をすれば解雇その他不利益な取扱いを受けると信ずるに足りる相当の理由がある場合

ロ　第一号に定める公益通報をすれば当該通報対象事実に係る証拠が隠滅され、偽造され、又は変造されるおそれがあると信ずるに足りる相当の理由がある場合

ハ　第一号に定める公益通報をすれば、役務提供先が、当該公益通報者について知り得た事項を、当該公益通報者を特定させるものであることを知りながら、正当な理由がなくて漏らすと信ずるに足りる相当の理由がある場合

ニ　役務提供先から前二号に定める公益通報をしないことを正当な理由がなくて要求された場合

ホ　書面により第一号に定める公益通報をした日から二十日を経過しても、当該通報対象事実について、当該役務提供先等から調査を行う旨の通知がない場合又は当該役務提供先等が正当な理由がなくて調査を行わない場合

ヘ　個人の生命若しくは身体に対する危害又は個人（事業を行う場合におけるものを除く。以下このヘにおいて同じ。）の財産に対する損害（回復することができない損害又は著しく多数の個人における多額の損害であって、通報対象事実を直接の原因とするものに限る。第六条第

二号ロ及び第三号ロにおいて同じ。）が発生し、又は発生する急迫した危険があると信ずるに足りる相当の理由がある場合

[……中略……]

（不利益取扱いの禁止）

第五条　第三条に規定するもののほか、第二条第一項第一号に定める事業者は、その使用し、又は使用していた公益通報者が第三条各号に定める公益通報をしたことを理由として、当該公益通報者に対して、降格、減給、退職金の不支給その他不利益な取扱いをしてはならない。

2　前条に規定するもののほか、第二条第一項第二号に定める事業者は、その指揮命令の下に労働する派遣労働者である公益通報者が第三条各号に定める公益通報をしたことを理由として、当該公益通報者に対して、当該公益通報者に係る労働者派遣をする事業者に派遣労働者の交代を求めることその他不利益な取扱いをしてはならない。

3　第二条第一項第四号に定める事業者（同号イに掲げる事業者に限る。次条及び第八条第四項において同じ。）は、その職務を行わせ、又は行わせていた公益通報者が次条各号に定める公益通報をしたことを理由として、当該公益通報者に対して、報酬の減額その他不利益な取扱い（解任を除く。）をしてはならない。

[……中略……]

（損害賠償の制限）

第七条　第二条第一項各号に定める事業者は、第三条各号及び前条各号に定める公益通報によって損害を受けたことを理由として、当該公益通報をした公益通報者に対して、賠償を請求することができない。[……中略……]

（他人の正当な利益等の尊重）

第十条　第三条各号及び第六条各号に定める公益通報をする者は、他人の正当な利益又は公共の利益を害することのないよう努めなければならない。

（事業者がとるべき措置）

第十一条　事業者は、第三条第一号及び第六条第一号に定める公益通報を受け、並びに当該公益通報に係る通報対象事実の調査をし、及びその是正に必要な措置をとる業務（次条において「公益通報対応業務」という。）に従事する者（次条において「公益通報対応業務従事者」という。）を定めなければならない。

2　事業者は、前項に定めるもののほか、公益通報者の保護を図るとともに、公益通報の内容の活用により国民の生命、身体、財産その他の利益の保護に関わる法令の規定の遵守を図るため、第三条第一号及び第六条第一号に定める公益通報に応じ、適切に対応するために必要な体制の整備その他の必要な措置をとらなければならない。

3　常時使用する労働者の数が三百人以下の事業者については、第一項中「定めなければ」とあるのは「定めるように努めなければ」と、前項中「とらなければ」とあるのは「とるように努めなければ」とする。

4　内閣総理大臣は、第一項及び第二項（これらの規定を前項の規定により読み替えて適用する場合を含む。）の規定に基づき事業者がとるべき措置に関して、その適切かつ有効な実施を図るために必要な指針（以下この条において単に「指針」という。）を定めるものとする。

5　内閣総理大臣は、指針を定めようとするときは、あらかじめ、消費者委員

会の意見を聴かなければならない。

6　内閣総理大臣は、指針を定めたときは、遅滞なく、これを公表するものとする。

7　前二項の規定は、指針の変更について準用する。

（公益通報対応業務従事者の義務）

第十二条　公益通報対応業務従事者又は公益通報対応業務従事者であった者は、正当な理由がなく、その公益通報対応業務に関して知り得た事項であって公益通報者を特定させるものを漏らしてはならない。[……中略……]

第二十一条　第十二条の規定に違反して同条に規定する事項を漏らした者は、三十万円以下の罰金に処する。

[……中略……]

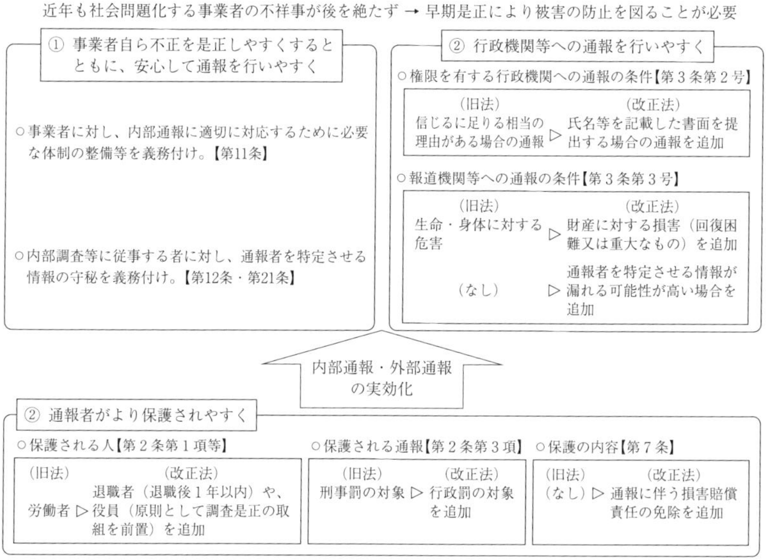

近年も社会問題化する事業者の不祥事が後を絶たず → 早期是正により被害の防止を図ることが必要

① 事業者自ら不正を是正しやすくするとともに、安心して通報を行いやすく

○事業者に対し、内部通報に適切に対応するために必要な体制の整備等を義務付け。【第11条】

○内部調査等に従事する者に対し、通報者を特定させる情報の守秘を義務付け。【第12条・第21条】

② 行政機関等への通報を行いやすく

○権限を有する行政機関への通報の条件【第3条第2号】

（旧法）		（改正法）
信じるに足りる相当の理由がある場合の通報	▷	氏名等を記載した書面を提出する場合の通報を追加

○報道機関等への通報の条件【第3条第3号】

（旧法）		（改正法）
生命・身体に対する危害	▷	財産に対する損害（回復困難又は重大なもの）を追加
（なし）	▷	通報者を特定させる情報が漏れる可能性が高い場合を追加

内部通報・外部通報の実効化

② 通報者がより保護されやすく

○保護される人【第2条第1項等】

（旧法）		（改正法）
労働者	▷	退職者（退職後1年以内）や、役員（原則として調査是正の取組を前置）を追加

○保護される通報【第2条第3項】

（旧法）		（改正法）
刑事罰の対象	▷	行政罰の対象を追加

○保護の内容【第7条】

（旧法）		（改正法）
（なし）	▷	通報に伴う損害賠償責任の免除を追加

改正公益通報者保護法の概要

消費者庁「公益通報者保護法の一部を改正する法律(令和2年法律第51号)」https://www.caa.go.jp/policies/policy/consumer_system/whisleblower_protection_system/overview/assets/overview_200615_0001.pdf

工学倫理ブックガイド

【凡例】☆：入門書として良い本
◇：より進んで読む時おすすめの本
△：少し難しめだが役に立つ本や事典
・：その他

■工学倫理、科学・技術と倫理

☆黒田光太郎・戸田山和久・伊勢田哲治編著『誇り高い技術者になろう——工学倫理ノススメ　第2版』名古屋大学出版会（2012）
☆藤本温編『技術者倫理の世界　第3版』森北出版（2013）
☆杉本泰治・高城重厚『大学講義 技術者の倫理入門　第5版』丸善（2016）
☆近畿化学協会工学倫理研究会編『技術者による実践的工学倫理——先人の知恵と戦いから学ぶ　第4版』化学同人（2019）
☆大石敏広『技術者倫理の現在』勁草書房（2011）
☆比屋根均『技術の営みの教養基礎　技術の知と倫理』理工図書（2012）
☆オムニバス技術者倫理研究会編『オムニバス技術者倫理　第2版』共立出版（2015）
☆金沢工業大学科学技術応用倫理研究所編『本質から考え行動する科学技術者倫理』白桃書房（2017）
☆北原義典『はじめての技術者倫理』講談社（2015）
☆塚原東吾・綾部広則・藤垣裕子・柿原泰・多久和理実編著『よくわかる現代科学技術史・STS』ミネルヴァ書房（2022）
☆直江清隆・盛永審一郎『理系のための科学技術者倫理』丸善出版（2015）
☆林真理・小野幸子・小野里憲一『技術者の倫理　改訂版』コロナ社（2015）
◇札野順『新しい時代の技術者倫理』放送大学教育振興会（2015）
◇シンジンガー、R／マーティン、M（西原英晃監訳）『工学倫理入門』丸善（2002）
　　工学倫理の教科書の定番。米国の工学倫理の概要を知るには最適。
◇ハリス、C・E 他（日本技術士会訳）『第3版　科学技術者の倫理——その考え方と事例』丸善（2008）、第1版（1998）、第2版（2002）
　　さまざまな事例や分析が多く載っているので、色々と調べるのに便利。第2版以降、内容的にもすっきりして訳も読みやすくなった。
◇ウィットベック、C（札野順・飯野弘之訳）『技術倫理　1』みすず書房（2000）
　　大学の講義をもとにした工学倫理の体系的入門書。倫理と設計のアナロジーをもとに工学倫理を説く。
◇米国 NSPE 倫理審査委員会編（日本技術士会訳）『科学技術者倫理の事例と考察』丸善（2000）『続 科学技術者倫理の事例と考察』丸善（2004）
　　全米専門技術者協会（National Society of Professional Engineers）の倫理委員会に寄せられた事例とその分析の翻訳。約400事例の内から83事例、続編は46事例を抜粋し翻訳している。

◇石原孝二・河野哲也編著『科学技術倫理学の展開』玉川大学出版部（2009）
◇齊藤了文『事故の哲学 ソーシャル・アクシデントと技術倫理』講談社（2019）
△新田孝彦・石原孝二・蔵田伸雄編著『科学技術倫理を学ぶ人のために』世界思想社（2005）
△フェルベーク、P・P（鈴木俊洋訳）『技術の道徳化——事物の道徳性を理解し設計する』法政大学出版会（2015）
△コリンズ、H（鈴木俊洋訳）『我々みんなが科学の専門家なのか？』法政大学出版会（2017）
△クーケルバーグ、M（直江清隆・久木田水生監訳）『技術哲学講義』丸善出版（2023）
△加藤尚武編『応用倫理学事典』丸善株式会社（2007）
・齊藤了文・岩崎豪人編『工学倫理の諸相——エンジニアリングの知的・倫理的問題』ナカニシヤ出版（2005）
・柴山知也『建設技術者の倫理と実践』丸善（2004）
・鈴木啓允『「建設倫理考」技術者社会の崩落』日刊建設工業新聞社（2000）
・米倉亮三『建築技術者と倫理』山海堂（2005）

◆工学系学協会による教科書・事例集

機械学会

・日本機械学会『機械工学便覧β９　法工学編』

技術者をとりまく法律に関する解説が豊富。特に第９章「技術者倫理及び資格に関する制度」が参考になる。

土木学会

・土木学会土木教育委員会倫理教育小委員会『土木技術者の倫理：事例分析を中心として』（2003）
・土木学会教育企画・人材育成委員会倫理教育小委員会『技術は人なり：プロフェッショナルと技術者倫理』（2005）
・土木学会技術推進機構継続教育実施委員会、土木学会技術推進機構継続教育教材作成小委『土木技術者倫理問題 考え方と事例解説２』（2010）

建築学会

・日本建築学会『建築倫理用教材』（2003）
・日本建築学会『日本建築学会の技術者倫理教材』（2010）

電気学会

・松木純也『基礎からの技術者倫理——わざを生かす眼と心』（2006）
・電気学会倫理委員会『技術者倫理事例集』（2010）
・電気学会倫理委員会編『鋼鉄と電子の塔——いかにして科学技術を語り、科学技術とともに歩むか』森北出版（2020）

その他

・地盤工学会『君ならどうする 建設技術者のための倫理問題事例集』(2003)
・日本原子力原子力学会倫理委員会『原子力を中心とした技術者の倫理ケースブック2――判断に迷わない明るい職場をめざして』日本原子力学会倫理委員会(2008)
・日本原子力学会倫理委員会編『東日本大震災における原子力分野の事例に学ぶ技術者倫理』日本原子力学会(2016)

◆雑誌

・名古屋工業大学技術倫理研究会編『技術倫理研究』(2004-)
　名古屋工業大学学術機関リポジトリ(https://nitech.repo.nii.ac.jp)で読むことができる。

◆その他、技術と倫理を扱った本として

☆加藤尚武『技術と人間の倫理』NHK ライブラリー(1996)
・加藤尚武『先端技術と人間――21 世紀の生命・情報・環境』NHK ライブラリー(2001)
・吉原進『持続可能な日本――土木哲学への道』技報堂出版(2000)
・塚本一義『テクノエシックス』昭和堂(2000)
・佐藤純一・児玉文雄『岩波講座現代工学の基礎社会・技術連関』岩波書店(2000)
・村上陽一郎『工学の歴史と技術の倫理』岩波書店(2006)

■科学者の倫理

☆ニュートン、D・E(牧野賢治訳)『サイエンス・エシックス　科学者のジレンマと選択』化学同人(1990)
　科学者が直面するジレンマから倫理を考える本。具体的な話を元にしているので読みやすく、考えさせられる。科学・技術に携わる人に読んで欲しい本。
☆全米科学アカデミー編(池内了訳)『科学者をめざす君たちへ』化学同人(1996)
　科学者を目指す学生や社会人向けに責任ある行動と倫理を示す
☆村上陽一郎『科学の現在を問う』講談社現代新書(2000)
☆高木仁三郎『市民科学者として生きる』岩波新書(1999)
☆中村桂子『科学者が人間であること』岩波新書(2013)
☆日本学術振興会「科学の健全な発展のために」編集委員会編『科学の健全な発展のために――誠実な科学者の心得』丸善出版(2015)
◇村上陽一郎『科学者とは何か』新潮選書(1994)
　科学者の行動原理や倫理のあり方について示唆に富む本。
◇科学倫理検討委員会編『科学を志す人々へ』科学同人(2007)
◇白楽ロックビル『科学研究者の事件と倫理』講談社(2011)
△フォージ、J(佐藤透・渡邉嘉男訳)『科学者の責任――哲学的探求』産業図書(2013)

■倫理学入門

☆加藤尚武『現代倫理学入門』講談社学術文庫(1997)

倫理学の様々な考え方を分かりやすく説明している。入門書として手頃。

☆ウェストン、A（野矢茂樹・高村夏輝・法野谷俊哉訳）『ここからはじまる倫理』春秋社（2004）

☆加藤尚武『応用倫理学のすすめ』丸善ライブラリー（1994）

☆加藤尚武『現代を読み解く倫理学――応用倫理学のすすめ2』丸善ライブラリー（1996）

具体的な問題から出発して、考え方を展開しているので、抽象的な思考や理論が苦手な人にも読みやすい。

☆バッジーニ、J／フォスル、P（長滝祥司・廣瀬覚訳）『倫理学の道具箱』共立出版（2012）

☆品川哲彦『倫理学入門――アリストテレスから生殖技術、ＡＩまで』中公新書（2020）

☆柘植尚則『プレップ倫理学　増補版』弘文堂（2021）

◇新田孝彦『入門講義 倫理学の視座』世界思想社（2000）

◇レイチェルズ、J／レイチェルズ、S（次田憲和訳）『新版　現実をみつめる道徳哲学――安楽死・中絶・フェミニズム・ケア』晃洋書房（2017）

◇伊勢田哲治『動物からの倫理学入門』（2008）

◇神崎宣次・佐藤静・寺本剛編『倫理学』（3STEPシリーズ5）、昭和堂（2023）

△戸田山和久、出口康夫編『応用哲学を学ぶ人のために』世界思想社（2011）

△廣松渉他編『岩波哲学・思想事典』岩波書店（1998）

倫理学や哲学で分からない言葉があったときに。

■工学、エンジニアリング

☆ペトロスキ、H（北村美都穂訳）『人はだれでもエンジニア』鹿島出版会（1988）

工学の本質を分かりやすく解き明かした本。失敗事例がおもしろい。

☆ペトロスキ、H（安原和見訳）『エンジニアリングの真髄――なぜ科学だけでは地球規模の危機を解決できないのか』筑摩書房（2014）

☆セネット、R（高橋勇夫訳）『クラフツマン――作ることは考えることである』筑摩書房（2016）

◇齊藤了文『〈ものづくり〉と複雑系』講談社選書メチエ（1998）

工学を「哲学する」本。工学の本質と面白さが分かる。

◇吉川弘之『テクノグローブ』工業調査会（1993）

人工物工学という概念を提案した著者によって、工学の全体像が示されている。

◇飯野弘之『新・技術者になるということ　Ver.8』雄松堂（2012）

工学部の新入生向けに、技術者の心構えと倫理と説いた本。

◇ファーガソン、E・S（藤原良樹・砂田久吉訳）『技術屋の心眼』平凡社（1995）

◇パパネック、V（大島俊三・村上太佳子・城崎照彦訳）『地球のためのデザイン――建築とデザインにおける生態学と倫理学』鹿島出版会（1998）

◇ノーマン、D・A（伊賀聡一郎・岡本明・安村通晃訳）『複雑さと共に暮らす――

デザインの挑戦』新曜社（2011）
△ノーマン、D・A（野島久雄訳）『誰のためのデザイン？』新曜社（1990）
△平野恵嗣『もの言う技術者たち――「現代技術史研究会」の七十年』太郎次郎社エディタス（2023）
・中島尚正編『工学は何をめざすのか――東京大学工学部は考える』東京大学出版会（2000）
・柳田博明・山吉恵子『テクノデモクラシー宣言――技術者よ、市民であれ』丸善ライブラリー（1996）

■技術者と環境倫理

☆加藤尚武『環境倫理学のすすめ　新版』丸善ライブラリー（2005）
　環境倫理学の入門書として、読みやすい本。
☆ガン、A・S／ヴェジリンド、P・S（古谷圭一編訳）『環境倫理　価値のはざまの技術者たち』内田老鶴圃（1993）
☆吉永明弘・寺本剛編『環境倫理』（3STEP シリーズ 2）、昭和堂（2020）
☆吉永明弘『はじめて学ぶ環境倫理――未来のために「しくみ」を問う』筑摩書房（2021）
☆加藤尚武『新・環境倫理学のすすめ　増補新版』丸善出版 (2020)
◇加藤尚武編『環境と倫理――自然と人間の共生を求めて』有斐閣アルマ（1999）
　環境と倫理に関わる様々なテーマが教科書的にコンパクトにまとまっている。
◇鬼頭秀一『自然保護を問いなおす――環境倫理とネットワーク』ちくま新書（1996）
　自然とのつながりを失っている現代人が、環境といかに関わるかを考える環境問題の入門書。欧米の環境思想を整理し、白神山地を具体的な事例として考察する。
◇ガン、A・S／ヴェジリンド、P・S（日本技術士会環境部会訳編）『環境と科学技術者の倫理』丸善（2000）
　技術者と環境倫理の関わりを説いた本。前者を充実させたのが後者。手軽に読みたい人は前者から読むとよい。
◇丸山徳次編著『岩波応用論理学講義 2　環境』岩波書店（2004）
・グドーフ、C・E／ハッチンソン、J・E（千代美樹訳）『自然への介入はどこまで許されるか』日本教文社（2008）
△シュレーダー＝フレチェット、K・S（奥田太郎・寺本剛・吉永明弘監訳）『環境正義――平等とデモクラシーの倫理学』勁草書房（2022）

■経営倫理（ビジネス・エシックス）

☆梅津光弘『現代社会の倫理を考える 3　ビジネスの倫理学』丸善（2002）
　ビジネス・エシックスの基本を知るにはまずこの本。
☆水谷雅一『経営倫理学のすすめ』丸善ライブラリー（1998）
　経営倫理の入門書として読みやすい本。

☆高浦康有・藤野真也編『理論とケースで学ぶ　企業倫理入門』白桃書房（2022）
☆齋藤憲監『企業不祥事事典――ケーススタディ 150』（2007）
◇パイパー、T・R 他（小林俊治・山口善昭訳）『ハーバードで教える企業倫理』生産性出版（1995）

ハーバードビジネススクールで教えられているビジネス・エシックス。

△宮坂純一『ビジネス倫理学の展開』晃洋書房（1999）

専門的だが、ビジネス・エシックスをより深く勉強したい人向けに。

△ディジョージ、R・T（永山幸正・山田経三訳）『ビジネス・エシックス』明石書店（1995）

ビジネス・エシックスの定番の翻訳。かなり分厚く読み応えがある。

△ズーハネク、A（柴田明・岡本丈彦訳）『企業倫理――信頼に投資する』同文舘出版（2017）
・田中朋弘・柘植尚則編『ビジネス倫理学――哲学的アプローチ』ナカニシヤ出版（2004）
・高巖／ドナルドソン、T『ビジネスエシックス――企業の市場競争力と倫理法令遵守マネジメント・システム』文真堂（1999）
・高巖他『企業の社会的責任――求められる新たな経営観』日本規格協会（2003）
・ビーチャム、T・L／ボウイ、N・E 編（加藤尚武監訳）『企業倫理学 1　倫理的原理と企業の社会的責任』晃洋書房（2005）
・ビーチャム、T・L／ボウイ、N・E 編（梅津光弘監訳）『企業倫理学 2　リスクと職場における権利・義務』晃洋書房（2001）
・ビーチャム、T・L／ボウイ、N・E 編（中村瑞穂監訳）『企業倫理学 3　雇用と差別／競争と情報』晃洋書房（2003）

内部告発

△奥山俊宏『内部告発のケーススタディから読み解く組織の現実――改正公益通報者保護法で何が変わるのか』朝日新聞出版（2022）
・科学技術倫理フォーラム編『説明責任・内部告発――日本の事例に学ぶ』丸善（2003）
・ルイス、D・B 編（橋本道哉・日本技術士会訳）『内部告発――その倫理と指針』丸善（2003）
・宮本一子『内部告発の時代――組織への忠誠か社会正義か』花伝社（2002）
・奥山俊宏『内部告発の力――公益通報者保護法は何を守るのか』現代人文社（2004）

■リスク・安全

☆武谷三男編『安全性の考え方』岩波新書（1967）

合成樹脂の食器、水俣病、原子力など具体的な事例をあげながら、安全性の問題を探る。記述は古いが、数値や原因不明の問題点、法律の限界、哲学など学ぶべきことは多い。品切れ中なので図書館で参照すること。

☆村上陽一郎『安全学』青土社（1998）

自然科学、人文科学を含む「安全学」の立場から安全を考察する。示唆に富む。

☆岡本浩一『リスク心理学入門　ヒューマン・エラーとリスク・イメージ』サイエンス社（1992）

リスク認知について分かりやすく解説した入門書。

◇ルイス、H・W（宮永一郎訳）『科学技術のリスク――原子力・電磁波・化学物質・高速交通』昭和堂（1997）

科学技術のリスク評価と管理について科学者の立場から詳しく論じた本。

◇中尾政之『脱・失敗学宣言』森北出版（2021）

△日本リスク研究学会編『リスク学事典』TBSブリタニカ（2000）、同編『増補改訂版　リスク学事典』阪急コミュニケーションズ（2006）

リスクについて網羅的に載っているので調べるのに便利。テーマごとにまとまっているので読み物としてもよい。

△日本リスク研究学会編『リスク学用語小辞典』丸善（2008）

△シュレーダー＝フレチェット、K『環境リスクと合理的意思決定――市民参加の哲学』昭和堂（2007）

△ワイルド、ジェラルド・J・S『交通事故はなぜなくならないか――リスク行動の心理学』新曜社（2007）

「どのような活動であれ、人びとがその活動（交通、労働、飲食、服薬、娯楽、恋愛、運動、その他）から得られるだろうと期待する利益と引き換えに、自身の健康、安全、その他の価値を損ねるリスクの主観的な推定値をある水準まで受容する」という「リスク・ホメオスタシス理論」について、日本語で読める数少ない文献。例えば、「技術者がいくら安全に配慮したとしても、消費者やユーザーはそうして確保された安全性の限界に近い行動を取りがちである」という現象は、多くの場合リスク･ホメオスタシス理論によって説明可能である。

・村上陽一郎『安全と安心の科学』集英社新書（2005）

・中西準子『環境リスク論――技術論からみた政策提言』岩波書店（1995）

・中西準子『環境リスク学――不安の海の羅針盤』日本評論社（2004）

・グラハム、J･D／ウィーナー、J･B編（菅原努監訳）『リスク対リスク』昭和堂（1998）

■安全工学、リスクマネジメント

☆近藤次郎『巨大システムの安全性』講談社ブルーバック（1986）

ボパール、日航123便、チャレンジャー、チェルノブイリの事故を取り上げ、安全性について分かりやすく説いた良書。

☆向殿政男『よくわかるリスクアセスメント――事故未然防止の技術』中災防新書（2004）中央労働災害防止協会

☆野田稔『企業危機の法則――リスク・ナレッジマネジメントのすすめ』角川oneテーマ21（2000）

リスクマネジメントの入門書として読みやすく分かりやすい本。

☆チャイルズ、J・R（高橋健次訳）『最悪の事故が起こるまで人は何をしていたのか』

草思社（2006）
◇三菱総合研究所政策工学研究部編『リスクマネジメントガイド』日本規格協会（2000）
図表が多くよくまとまっている。巻末に様々なリスクの事例と対応が載っている。
◇リーズン、J（塩見弘監訳）『組織事故』日科技連出版社（1999）
組織事故を防ぐために組織の安全文化を提唱する。
◇リーズン、J（佐相邦英、電力中央研究所ヒューマンファクター研究センター訳）『組織事故とレジリエンス――人間は事故を起こすのか、危機を救うのか』日科技連出版社（2010）
◇山内桂子・山内隆久『医療事故　なぜ起こるのか、どうすれば防げるのか』朝日新聞社（2000）
医療以外の組織にも有益な指摘が多く含まれている。
◇芳賀繁『失敗のメカニズム忘れ物から巨大事故まで』日本出版サービス（2000）
心理学の立場から失敗とその対策を考える。具体例が多く読みやすい。
◇畑村洋太郎『失敗学のすすめ』講談社（2000）
工学の立場から失敗をプラスにとらえ、活かす「失敗学」を提唱する。「ものづくり」に携わる人は必読。
◇リーソン、J（林喜男訳）『ヒューマンエラー――認知科学的アプローチ』海文堂（1994）
認知心理学の立場からエラーを取り上げた本。部分訳（前述、『組織事故』の著者リーズンと同一人）。
◇リーズン、J（十亀洋訳）『ヒューマンエラー　完訳版』海文堂出版（2014）
◇デッカー、S（芳賀繁訳）『ヒューマンエラーは裁けるか――安全で公正な文化を築くには』東京大学出版会（2009）
◇小松原明哲『安全人間工学の理論と技術――ヒューマンエラーの防止と現場力の向上』丸善出版（2016）
◇小松原明哲『ヒューマンエラー　第3版』丸善出版（2019）
△安全工学協会編『新安全工学便覧　新版』コロナ社（1999）
具体的な設計や対策などを調べるのに事典として便利。

その他

◇橋本邦衛『安全人間工学』中央労働災害防止協会（1984）
◇岡本浩一・今野裕之『リスク・マネジメントの心理学――事故・事件から学ぶ』新曜社（2003）
◇コーン、L他編／米国医療の質委員会・医学研究所（医学ジャーナリスト協会訳）『人は誰でも間違える』日本評論社（2000）
・杉本旭『機械にまかせる安全確認システム――設計者のアカウンタビリティ』中災防新書（2004）
・黒田勲『「信じられないミス」はなぜ起こる――ヒューマン・ファクターの分析』中災防新書（2001）

・向殿政男監／安全技術応用研究会編『国際化時代の機械システム安全技術』日刊工業新聞社（2000）
・正田亘『安全心理学　人間心理よりみた事故防止対策』技術評論社（1981）
・黒田勲『安全文化の創造へ――ヒューマンファクターから考える』中央労働災害防止協会（2000）
・ハースト、N・W（花井荘輔訳）『リスクアセスメント――ヒューマンエラーはなぜ起こるか、どう防ぐか』丸善（2000）
・野間聖明『ヒューマン・エラー――安全人間工学へのアプローチ』毎日新聞社（1982）
・デルナー、D（近藤駿介監訳）『人はなぜ失敗するのか』ミオシン出版（1999）
・宮城雅子『大事故の予兆をさぐる』講談社ブルーバック（1998）
・日経ものづくり『重大事故の舞台裏』日経 BP 社（2005）

■ PL 法

☆三井俊紘・猪尾和久『PL の知識』（日経文庫）日本経済新聞社（1995）
☆加藤一郎・中村雅人『わかりすい製造物責任法』（有斐閣リブレ 34）有斐閣（1995）
☆三井俊紘・相澤英生『Q&A PL の実際』（日経文庫）日本経済新聞社（1998）
　PL 法の概要やその背景、他の法律との関係について、簡潔に書かれた入門書。
◇杉本泰治『日本の PL 法を考える』地人書館（2000）
　技術者であり法律家でもある著者による本。
◇中尾政之・宮村利男『知っておくべき家電製品事故 50 選――事故を知るとリスクが見えてくる』日刊工業新聞社（2010）
△山田卓生責任編集・加藤雅信編『新・現代損害賠償法講座 3　製造物責任・専門家責任』日本評論社（1997）
△加藤雅信編『製造物責任法総覧』商事法務研究会（1994）
△小林秀之責任編集・東京海上研究所編『新製造物責任法体系 II　日本篇』弘文堂（1998）
　欠陥概念や開発危険の抗弁など PL 法で問題となる点、製造物責任をめぐる過去の裁判例、また、企業の PL 対策などについて深く知りたい時には、詳しく有益。
△加藤雅信編『製造物責任の現在』（別冊 NBL.53）商事法務研究会（1999）
　製造物責任に関する比較的最近のデータを知るために。
△平野裕之『製造物責任法の論点と解釈――詳解・分析「欠陥」「証明」の裁判例』慶應義塾大学出版会（2021）
△土庫澄子『逐条講義 製造物責任法　第 2 版――基本的考え方と裁判例』勁草書房（2018）

■知的財産権

☆名和小太郎『サイバースペースの著作権――知的財産は守れるのか』中公新書(1996)

☆名和小太郎『技術標準対知的財産権――技術開発と市場競争を支えるもの』中公新書(1990)

技術系の視点から知的財産権制度を考えるための必読書

☆上山明博『プロパテント・ウォーズ――国際特許戦争の舞台裏』文春新書(2000)

特許に関する最近の国際的動向がわかりやすく解説されている。

☆木村一哉他『みんなで考える著作権』文芸社(2000)

意外と複雑なところのある著作権のしくみを概観するのに格好の入門書。

△田村善之『知的財産法　第2版』有斐閣(2000)

・角田政芳編『知的財産権小六法』成文堂(2000)

・小野昌延『知的所有権――Q&A100のポイント』有斐閣ビジネス(1989)

・名和小太郎『雲を盗む――法廷に立たされた現代技術』朝日新聞社(1995)

・角田政芳・辰巳直彦『知的財産法』(有斐閣アルマ)有斐閣(2000)

■ハラスメント

☆山藤祐子『ハラスメント言いかえ事典――トラブル回避のために知っておきたい』朝日新聞出版(2021)

言いかえを具体的に提案しているので、参考にしやすい。

・水谷英夫『予防・解決 職場のパワハラセクハラ メンタルヘルス　第4版』日本加除出版(2020)

■事故の事例

◆全般

☆日経コンピュータ・山端宏実・岡部一詩・中田敦・大和田尚孝・谷島宣之『みずほ銀行システム統合、苦闘の19年史――史上最大のITプロジェクト「3度目の正直」』日経BP(2020)

☆日経コンピュータ『ポストモーテム――みずほ銀行システム障害 事後検証報告』日経BP(2022)

・日経メカニカル編『事故は語る――比類なき“トラブル事例集”』日経BP社(1998)

もんじゅ漏洩、自動車リコール、テレビ発火、のぞみリベット折損など40事例。

・日経メカニカル編『事故は語る――巨大化するトラブルの裏側』日経BP社(2003)

・齊藤了文『テクノリテラシーとは何か――巨大事故を読む技術』講談社選書メチエ(2005)

・ミッチェル、J・K編(松崎早苗監／平野由紀子訳)『七つの巨大事故――復興への長い道のり』創芸出版(1999)

原発事故、ダイオキシン汚染、石油流出など。

・畑村洋太郎『続々・実際の設計――失敗に学ぶ』日刊工業新聞社(1996)

大量の失敗のデータベース。
・畑村洋太郎『ドアプロジェクトに学ぶ――検証　回転ドア事故』日刊工業新聞社（2006）
・鎌田慧『ルポ大事故！　その傷痕』講談社文庫（1994）
日航機墜落、潜水艦なだしお、日本坂トンネル追突、北炭夕張ガス突出事故など。
・桜井淳『崩壊する巨大システム』時事通信社（1992）
新幹線、航空機、原子炉など。
・柳田邦男『事故調査』新潮社（1994）（新潮文庫版、1997）
事故、災害の時評と対談集。
・柴田鉄治『科学事件』岩波新書（2000）
原子力、水俣病、大地震、薬害エイズ、クローン羊など。
・社団法人日本損害保険協会『世界の重大産業災害』社団法人日本損害保険協会（1993）
ボパール等の事故の概要とそこから得られる教訓。図や写真が豊富。
・桜井淳『事故は語る――人為ミス論』日経BP社（2000）
・ケイシー、S（赤松幹之訳）『事故はこうしてはじまった！――ヒューマン・エラーの恐怖』化学同人（1995）
・産経新聞取材班『ブランドはなぜ墜ちたか――雪印、そごう、三菱自動車 事件の深層』角川書店（2001）（角川文庫版、2002）

◆原子力

・原子力PA推進センター編著『素顔の原子力発電』風日舎（1995）
・高木仁三郎『プルトニウムの未来』岩波新書（1994）
・高木仁三郎『原発事故はなぜくりかえすのか』岩波新書（2000）
・佐々木力『科学技術と現代技術』ちくま新書（2000）
・七沢潔『原発事故を問う』岩波新書（1996）
・田中三彦『原発はなぜ危険か――元設計技師の証言』岩波新書（1990）
・近藤駿介『原子力の安全性　新原子力シリーズ2』同文書院（1990）
・原子力資料情報室『検証　東電原発トラブル隠し』岩波ブックレット（2002）
・佐藤一男『改訂　原子力安全の論理』日刊工業新聞社（2006）

JCO事故

・NHK「東海村臨界事故」取材班『朽ちていった命――被曝治療83日間の記録』新潮社（2006）
・原子力安全委員会編『原子力安全白書　平成11年版』大蔵省印刷局（2000）
・核事故緊急取材班・岸本康『臨界19時間の教訓』小学館文庫（2000）
・原子力資料情報室編『恐怖の臨界事故』岩波ブックレット（1999）
・原子力資料情報室『臨界事故　隠されてきた深層――揺らぐ「国策」を問いなおす』岩波ブックレット（2004）

・住田健二『原子力とどうつきあうか――JCO臨界事故体験』筑摩書房（2000）
・日本原子力学会ヒューマン・マシン・システムJCO事故調査特別作業会編『JCO臨界事故におけるヒューマンファクター上の問題』（1999）
・国分郁男・吉川秀夫編著『ドキュメント・東海村』ミオシン出版（1999）
・岡本浩一『無責任の構造』PHP新書（2001）
　　JCO事故から見る組織の無責任の構造。

チェルノブイリ

・メドヴェジェフ、G（吉本晋一郎訳）『チェルノブイリの遺産』みすず書房（1992）
・シチェルバク、Y（松岡信夫訳）『チェルノブイリからの証言』技術と人間（1988）

スリーマイル島原発事故

・柳田邦男『恐怖の2時間18分』文春文庫（1986）

◆航空・運輸

・柳田邦男『航空事故』中公新書（1975）
・柳田邦男『マッハの恐怖』新潮文庫（1971）
・柳田邦男『失速・事故の視角』文春文庫（1981）
・遠藤浩『飛行機はなぜ落ちるか』講談社ブルーバック（1994）
・加藤寛一郎『墜落――ハイテク旅客機がなぜ墜ちるのか』講談社（1990）（講談社＋α文庫版、1994）
・ホーキンズ、F・H（石川好美訳）『ヒューマン・ファクター――航空の分野を中心として』成山堂書店（1991）
・柳田邦男『新幹線事故』中公新書（1977）
・高橋団吉『新幹線を作った男　島秀雄物語』小学館（2000）
　　伝記であるが、安全な新幹線を作るための技術者の奮闘が描かれている。
・鈴木哲法・京都新聞社『検証信楽列車事故――鉄路安全への教訓』京都新聞出版センター（2004）
・伊藤正孝『欠陥車と企業犯罪』現代教養文庫（1993）

日航ジャンボ機事故

・柳田邦男『死角　巨大事故の現場』新潮社（1985）（新潮文庫版、1988）
・加藤寛一郎『壊れた尾翼――日航ジャンボ機墜落の真実』講談社＋α文庫（2004）
・山本善明『墜落の背景――日航機はなぜ落ちたか　上・下』講談社（1999）

DC10

・エディ、P他（井草隆雄・河野健一訳）『予測された大惨事――DC10事故のすべて　上・下』草思社（1978）

◆建築・土木

・根本祐二『朽ちるインフラ――忍びよるもう一つの危機』日本経済新聞出版社（2011）

コンクリート

・小林一輔『コンクリートが危ない』岩波新書（1999）

欠陥住宅

・日本弁護士連合会消費者問題対策委員会編『いま、日本の住宅が危ない！——我が国の欠陥住宅の現状と被害者救済・被害防止への指針』民事法研究会（1996）
・小林一輔・藤木良明『マンション』岩波新書（2000）
・集合住宅管理組合センター・集合住宅維持管理機構編『欠陥マンション 110 番——快適なマンションライフを送るための必修知識』民事法研究会（1998）

◆その他

・ファインマン、R·P（大貫昌子訳）『困ります、ファインマンさん』岩波書店（1988)、岩波現代文庫（2001）

　　事故調査委員会に参加したファインマンの記録。

チャレンジャー号事故

・沢岡昭『衝撃のスペースシャトル事故調査報告——NASA は組織文化を変えられるか』中災防新書（2004）

雪印

・北海道新聞取材班編『検証・「雪印」崩壊——その時、何がおこったか』講談社文庫（2002）
・やまざきようこ他『雪印 100 株運動——起業の原点・企業の責任』創森社（2004）

■英文の文献

教科書

☆ Fleddermann, C. B. *Engineering Ethics*, 1st ed., 1999; 4th ed., 2011, Prentice-Hall, Inc.,Upper Saddle River, New Jersey.

　　技術者が書いた工学倫理の入門書。割り切った説明で明快。

☆ Schinzinger, R. and M. W. Martin, *Introduction to Engineering Ethics*, 2nd ed, 2009,McGraw-Hill, New York.

　　同著者たちの *Ethics in Engineering*（後述）のアップデート・簡約版。

☆ Mitcham, C. and R. S. Duvall, *Engineering Ethics*, 2000, Prentice-Hall, Inc., Upper Saddle River, New Jersey.

　　薄く、イラストが多くて親しみやすい教科書。

☆ Mitcham, C. and D. Munoz, *Humanitarian Engineering* (Synthesis Lectures on Engineers, Technology, and Society 13), 2010, Morgan & Claypool.

◇ Harris, C. E. Jr., Pritchard, M. S. and M. J. Rabins, *Engineering Ethics: Concepts and Cases*, 3rd ed., 2000; 5th ed., 2013, Wadsworth Publishing Company, an InternationalThomson Publishing Company, Belmont, California.

◇ Whitbeck, C. *Ethics in Engineering Practice and Research*, 1st ed., 1998; 2nd ed., 2012.,Cambridge University Press.

Online Ethics Center（後述）とリンクした工学倫理の教科書。翻訳は前述のウィットベック（2000）『技術倫理 1』。原書前半部の訳。

◇ Martin, M. W. and R. Schinzinger, *Ethics in Engineering*, 3rd ed., 1996, McGraw-Hill,New York.

翻訳はシンジンガー／マーティン（2002）『工学倫理入門』。

研究書

△ Unger, S. H. *Controlling Technology: Ethics and the Responsible Engineer*, 2nd ed., 1994, John Wiley & Sons, Inc., New York.

△ Davis, M. *Thinking like an Engineer: Studies in the Ethics of a Profession*, 1998, Oxford, New York and Oxford.

△ Davis, M. *Ethics and the University*, 1999, Routledge, London and New York.

△ Natsume, K. *Japan's Engineering Ethics and Western Culture: Social Status, Democracy, andEconomic Globalization*, 2023, Lexington Books, Lanham, Boulder, New York and London.

△ Mitcham, C. *Thinking Through Technology: The Path between Engineering and Philosophy*, 1994, University of Chicago Press.

△ Miller, G., Jeronimo, H. M. and Q. Zhu. *Thinking Through Science and Technology: Philosophy, Religions, and Policy in an Engineered World*, 2023, Rowan & Littlefield Pub. Inc.

△ Vermaas, P. E. (Editor-in-Chief), *Philosophy of Engineering and Technology* (Book Series), Springer.

「工学と技術の哲学」をテーマにしたブックシリーズ。特に工学倫理に関連が深いものとして、第 22 集の *Engineering Ethics for a Globalized World* (2015)、第 31 集の *The Future of Engineering - Philosophical Foundations, Ethical Problems and Application Cases* (2018)、第 42 集の *Engineering, Social Sciences, and the Humanities - Have Their Conversations Come of Age?* (2022) が挙げられる。

論文集

△ Johnson, D. G. (ed.), *Ethical Issues in Engineering*, 1991, Prentice Hall, New Jersey.

△ Herkert, J. R. (ed.), *Social, Ethical, and Policy Implications of Engineering : Selected Readings*, IEEE Press, 2000

△ Davis, M. (ed.), *Engineering Ethics*, 2005, Ashgate Pub Co.

雑誌

△ *Science and Engineering Ethics*, 1995, Opragen Publications, Guildford.

辞典

△ Holbrook, J. B. and C. Mitcham (eds.), *Ethics, Science, Technology, and Engineering: A Global Resource*（Encyclopedia of Science Technology and Ethics）, 2014, Macmillan Library Reference.

■インターネットの情報

（英文）

https://www.nspe.org/

the National Society of Professional Engineers（NSPE）のホームページ。倫理規定や資料が読める。

https://onlineethics.org/

ウイットベック教授（著書は前述の『技術倫理』）が主宰する the Online Ethics Center for Engineering and Science のホームページ。膨大なリソースが集められている。

https://www.niee.org/

the National Institute for Engineering Ethics（NIEE）のホームページ。工学倫理についての様々な情報がある。

http://ethics.iit.edu/eelibrary/

イリノイ工科大学の「専門職倫理研究センター」が運営する技術者倫理教育に関する資料が集められたホームページ。

https://ethics.tamu.edu/

Texas A&M University の工学倫理のホームページ。有名な事例の分析と論文が読める。

（日本語）

http://www.philosophy.bun.kyoto-u.ac.jp/prospectus/

京都大学哲学研究室のホームページ。PROSPECTUS No.3 工学倫理特集の論文が読める。

https://rci.nanzan-u.ac.jp/ISE/ja/

南山大学社会倫理研究所のホームページ。フォード・ピントについての新しい解釈を紹介した論文を含む『社会と倫理』17 号が読める。

新 https://engineeringethics-studygroup.jimdofree.com/

日本技術士会「技術者倫理研究会」ホームページ。

https://www.jspe.org/

日本プロフェッショナルエンジニア協会。NSPE と提携している東京都認証 NPO 法人。

https://jabee.org/

日本技術者教育認定機構 JABEE のホームページ。

https://wwwr.kanazawa-it.ac.jp/ACES/

金沢工業大学科学技術応用倫理研究所のホームページ。

http://www2.itc.kansai-u.ac.jp/~saiton/

齊藤了文のテクノリテラシーのホームページ。工学倫理の道具箱、関連リンクがある。

https://www.jsee.or.jp/about/history/teaching-materials

日本工学教育協会のホームページ「映像教材貸出について」。

工学倫理の学習に役立つ各種教材が紹介されている。「Wake Up！――エンジニアになりたいきみへ」のほか、金沢工業大学「ソーラーブラインド」、室蘭工業大学「技術者倫理学習のスキル」「技術者の自律」、米 NIEE&NSPE「ギルベイン・ゴールド」(本書事例 11-1 に掲載)などが無償で利用可能となっている。

http://www.sozogaku.com/hatamura/

畑村洋太郎氏のホームページ「畑村創造工学研究所」。

倫理規定・倫理綱領

https://www.engineer.or.jp/c_topics/009/009289.html 技術士倫理綱領

https://www.aij.or.jp/jpn/guide/ethics.pdf 日本建築学会倫理綱領・行動規範

https://www.iee.jp/about/code_of_ethics/ 電気学会倫理綱領

https://www.ieice.org/jpn/about/code1.html 電子情報通信学会倫理綱領

http://www.aesj.or.jp/ethics/02_/02_02_/ 日本原子力学会倫理規程

https://www.jsce.or.jp/rules/rinnri.shtml 土木技術者の倫理規定

https://www2.jsme.or.jp/fw/kiyaku.html 日本機械学会倫理規定

https://www.ipsj.or.jp/ipsjcode.html 情報処理学会倫理綱領

https://www.scej.org/general/ethics.html 化学工学会倫理規定

執筆者紹介

伊藤　均（いとう　ひとし）
1961年生まれ。京都大学大学院文学研究科博士後期課程学修退学。現在、関西学院大学等非常勤講師。専門は、フッサールを中心とした現象学、工学倫理
主な論文:「設計と工学倫理」『PROSPECTUS (No.6)』京都大学哲学研究室（2003）他
◎執筆担当箇所：事例分析08-2、12-1、13-1、13-2、17-2、基礎知識05-a,b,c、06

岩崎豪人（いわさき　たけと）
1962年生まれ。京都大学大学院文学研究科博士後期課程学修退学。現在、関西学院大学等非常勤講師。専門は、認識論、心の哲学、工学倫理
主な業績:『工学倫理の諸相』（編著）ナカニシヤ出版(2005)、『科学技術倫理を学ぶ人のために』（共著）世界思想社（2005）、『オムニバス技術者倫理　第2版』（共著）共立出版（2015）
◎執筆担当箇所：事例分析03-1、05-1、07-2、17-1、基礎知識01、倫理規定の練習問題②、工学倫理ブックガイド

太田　学（おおた　がく）
1964年生まれ。名古屋大学大学院文学研究科博士後期課程単位取得退学。現在、名古屋市立大学他非常勤講師。専門は西洋哲学史（デカルト）と応用倫理学（生命倫理、工学倫理）
主な著書:『社会倫理の探求』（共著）ナカニシヤ出版（1999）他
◎執筆担当箇所：事例分析01-1

大野波矢登（おおの　はやと）
1970年生まれ。名古屋大学大学院文学研究科博士後期課程修了、博士（文学）。現在、名城大学等非常勤講師。専門は、分析哲学の歴史、数学の哲学、工学倫理
主な業績:『誇り高い技術者になろう――工学倫理ノススメ』（共著）名古屋大学出版会（2004）
◎執筆担当箇所：事例分析09-1、09-2、12-2、14-1、基礎知識04-c、05-d,e,f、07-g、08-a,b,c

加藤太喜子（かとう　たきこ）
1972年生まれ。現在、岐阜医療科学大学保健科学部准教授。専門は、生命倫理学・倫理学
主な業績:『シリーズ生命倫理学 第11巻 遺伝子と医療』（共著）丸善出版（2013）
◎執筆担当箇所：事例分析16-1、16-2、基礎知識04-e、倫理規定の練習問題①

杉原桂太（すぎはら　けいた）
1975年生まれ。現在、南山大学理工学部講師、南山大学社会倫理研究所第二種研究所員。専門は、科学技術社会論、工学倫理
主な業績:『誇り高い技術者になろう――工学倫理ノススメ（第2版）』（共著）名古屋大学出版会（2012）、「グローバル化する技術者倫理教育に関する文献研究――Well-beingに注目したアプローチの提案」『工学教育』70巻4号（2022）
◎執筆担当箇所：事例分析02-1、02-2、11-2、14-2、資料

瀬口昌久（せぐち　まさひさ）
1959年生まれ。現在、名古屋工業大学大学院工学研究科教授。専門は工学倫理
主な業績:『工学倫理の条件』（共編著）晃洋書房（2002）
◎執筆担当箇所：事例分析03-2

藤本　温（ふじもと　つもる）
1964年生まれ。京都大学大学院文学研究科博士後期課程修了、博士（文学）。現在、名古屋工業大学大学院工学研究科教授。専門は、哲学、工学倫理
主な業績:『工科系学生のための〈リベラルアーツ〉』（共編著）知泉書館（2023）
◎執筆担当箇所：事例分析01-2

山田健二（やまだ　けんじ）
1966年生まれ。京都大学大学院博士後期課程修了、博士（文学）。専攻は現代哲学。
現在、北見工業大学准教授。
主な業績:「エンジニアのジレンマ」『哲学論叢』27号（2000）
◎執筆担当箇所：事例分析06-1、06-2、10-1、10-2、基礎知識02

大和文雄（やまと　ふみお）
1970年生まれ。大阪市立大学大学院文学研究科後期博士課程単位取得退学。専攻は、哲学・倫理学
◎執筆担当箇所：事例分析 04-1、04-2、05-2、08-1、11-2、基礎知識 03

藤木篤（ふじき　あつし）
1981年生まれ。神戸大学大学院人文学研究科博士課程後期課程修了、博士（学術）。久留米工業高等専門学校、神戸市看護大学を経て、現在、芝浦工業大学准教授。専門は工学倫理、科学技術社会論、技術の哲学、環境倫理学。
主な論文：「日本住血吸虫病撲滅事業の事例分析に基づく環境倫理学と技術者倫理の接続の試み」『工学教育』第65巻3号、「工学倫理の教科書の変遷」（共著）『技術倫理研究』第7号（2010）
◎執筆担当箇所：事例分析 15-1、15-2

編者紹介

齊藤了文（さいとう　のりふみ）
1953年生まれ
京都大学理学部ならびに文学部卒業
同大学院文学研究科博士課程単位修得
現在、関西大学社会学部教授
専門は、工学の哲学、工学倫理、法工学
主な著書：『〈ものづくり〉と複雑系』講談社選書メチエ（1998）、『事故の哲学』講談社選書メチエ（2019）
主な論文：「工学の知識と責任」『中部哲学会年報（第32号）』（2000）、「工学倫理と制度設計」『日本金属学会誌』第66巻12号（2002）他
◎執筆担当箇所：総論
ウェブサイト：http://www2.itc.kansai-u.ac.jp/~saiton/

坂下浩司（さかした　こうじ）
1965年生まれ
京都大学大学院文学研究科博士後期課程修了。博士（文学）
現在、南山大学人文学部教授
専門は、ギリシア哲学、自然の哲学、工学倫理
主な著書：『工学倫理の条件』晃洋書房（2002）他
主な論文：「科学技術者の美徳——工学倫理と徳倫理」『社会と倫理（第14号）』南山大学社会倫理研究所（2003）他
◎執筆担当箇所：事例分析 11-1、基礎知識 04-b,d、07-a,b,c,d,e,f、08-d

はじめての工学倫理　第４版

2001年 4 月20日　初　版 第１刷発行
2005年 4 月25日　第２版 第１刷発行
2014年 1 月15日　第３版 第１刷発行
2023年10月10日　第４版 第１刷発行

編　者　齊藤了文
　　　　坂下浩司

発行者　杉田啓三

〒607-8494　京都市山科区日ノ岡堤谷町3-1
発行所　株式会社　昭和堂
TEL(075)502-7500/FAX(075)502-7501

印刷　中村印刷

ISBN 978-4-8122-2224-9

＊落丁本・乱丁本はお取替え致します。

Printed in Japan